ムーラン・ルージュ:ラ・グリュー［15頁参照］
1891年　石版刷りポスター　195×122cm

新　潮　文　庫

ロートレック荘事件

筒　井　康　隆　著

新　潮　社　版

5412

ロートレック荘事件

第一章　序

忘れることなどできない。おれと重樹《しげき》がともに八歳のときの夏だった。おれは重樹を滑り台のスロープの中ほどから足で突き落してしまい、彼を畸形《きけい》にして、その一生を目茶苦茶にしてしまったのだった。

悪気はなかったし、そもそも突き落そうとしたわけですらない。高さ四メートルものその滑り台は、スロープの途中に勾配《こうばい》のゆるやかな部分があって、波型にうねっていた。先に滑り降りた重樹は、そのうねりの部分で降下する勢いを弱めてしまい、スロープの半ばで停止してしまったのだ。

その滑り台がゆるやかで、ともすれば途中で止まってしまうことを知っていたおれは、重樹が下まで滑降するのを見届けもせず、なんとも危険なことに、尻《しり》の下にローラースケートを敷いて、重樹のうしろから降下したのだった。たいへんな勢いがついたままでおれの真っすぐ伸ばした両足の靴底《くつぞこ》は重樹の尻に激突し、彼を空中にはねとばし、重樹は約二メートル半の高さから地面に墜落した。彼はコンクリートでできている高さ十センチの滑り台の台座のかどに脊椎《せきつい》を打ちつけ、動けなくなった。

彼はすぐ、両親たちによって熊沢綜合《くまざわそうごう》病院に運びこまれたが、診察の結果はわれわれにとってこの上なくむごい、そして悲劇的なものだった。下半身の成長が停止するだろうという診断だったのである。

重樹の両親の嘆き、特に母親の悲嘆は言うまでもないことだが、一緒にいたおれの両親も甥《おい》の悲運とわが子の重大な過失を嘆き悲しんだ。おれは自分の過ちの大きさを思い知らされ、後悔と自責の念に打ちひしがれ、声も嗄《か》れよとばかりに泣き続けた。重樹が病院から戻ってきたとき、おれは車椅子《いす》に乗った彼の姿を見て泣き叫び、彼の足もとに這《は》いつくばって誓ったのだった。ぼくは一生君から離れない。これからずっと、死ぬまで君の傍《そば》にいて、君につき従い、絶対にぜったいに、君に不自由な思いはさせない。君はぼくにどんな命令をしてくれてもいい。それでもまだぼくの過ちはとても償えないんだから、重樹、君はぼくを気のすむようにしてくれていいんだ。

おれと重樹は従兄弟《いとこ》どうしだった。毎年夏になると北熊沢にある重樹の父の別荘で家族ぐるみ、親戚《しんせき》ぐるみで一か月共に暮らすというだけでなく、東京では同じ小学校、同じ学級で学んでいた。家も近かった。その時からおれは、毎朝重樹の家に立ち寄り、重樹の車椅子を押して通学し、そして下校した。席も彼のとなりにしてもらい、彼のすべての面倒を見た。四か月後、彼が車椅子なしで歩けるようになってからも彼の傍を離れなかった。彼をひとりにして遊びに行くこともなく、彼がどこかへ行くときは常に一緒で、彼につき従い、どこにでもいる、彼を笑いものにし、いじめようとする連中から彼を護《まも》った。いつも共に学び、中学も高校も一緒だった。おれは重樹を愛していたから、そうしたことすべてを奉仕と考えたことは一度もなかった。喜びとともに自ら彼に従ったのだ。

大学こそ別べつで、残念ながら通学に付き添うことまではできなかったが、おれはかわらず重樹に献身し続けた。卒業後も、いつでも重樹の傍に行けるような、そして自由な時間が多くとれる職に就き、常に重樹と連絡を絶やさず、そして重樹が仕事や遊びで外出する際はもちろん、遠近にかかわらず必ずつき従ったのだった。

おれがそこまで献身して然《しか》るべき、重樹はすばらしい個性の持主だった。そして彼もまたおれを、単に面倒をよく見てくれるからというのではなく、打算抜きで愛してくれていた。おれたちにはいい関係が続いていた。それは二十年続いた。

そしておれたちはともに、二十八歳の夏を迎えた。

第二章　起

「ついにあの別荘、ロートレック荘なんていう呼び名がついたらしいぜ」運転席の工藤忠明《ただあき》が笑いながら言った。

おれは唸《うな》った。「なんとも皮肉なことだよなあ。よりによって木内文麿《ふみまろ》氏のコレクションの対象が、おれとよく似た姿かたちのロートレックとはな」

「もっとも、君が怪我《けが》したのは八歳の時で脊椎、ロートレックはたしか十四歳で両足の骨折という、まあ、そういったような違いはあるがね」

「いやいや。因縁はまだあるな。おれが絵かきになっちまったという因縁だ。うん。そもそもその縁で木内文麿氏と知り合って、あの別荘を買ってもらったわけだからね」

「惜しかったなあ、あの別荘。今なら億を越すんじゃないか」バックミラーの中の工藤忠明の整った顔がわずかに歪《ゆが》み、彼は悔しげにかぶりを振った。

「しかたないさ。今ならともかく、あのころはまだおれの絵なんて、売れるというものでさえなかったしね」

「そうとも。今ならなあ。君の絵の二、三枚の値段であの会社の破産、救えたのにさ」

「あの会社」というのは、おれたちの父親が共同経営していた貿易会社のことである。兄弟で経営していたのだ。兄弟といっても義理の兄弟で、破産したのは六年前である。おれたちはまだ大学を出たばかりであり、もちろん、おれたちの力ではどうすることもできなかった。

工藤忠明の運転する車は熊沢駅の踏切を越えて別荘地に入った。別荘が木内文麿氏の所有となって以来、おれたちが熊沢に来るのは初めてである。

「スリー・バージンズがおれたちを待ちかまえているぜ」工藤忠明はくすくす笑いながら言った。

「いつもその言いかたをしていると、ご本人たちの前でうっかり言ってしまうおそれがある」と、おれは言った。「そろそろ、やめた方がいい」

「その通りだ。うん。やめようやめよう」

木内文麿氏のひとり娘、木内典子《のりこ》は二十四歳、これに同い歳《どし》で同窓生の牧野寛子《ひろこ》、立原絵里のふたりを加えた三人を、おれたちはスリー・バージンズと称していた。彼女たちそれぞれが処女か否《いな》かを揶揄《やゆ》的に考察し議論して以来、そんなあだ名をつけたのだった。もしも彼女たちが聞いたら、おとなしい牧野寛子はともかく、あとのふたりは激怒するに違いなかった。

すっかり観光地化して若者が集まるようになった賑《にぎ》やかな「中熊沢銀座」を抜け、おれたちの車は林の多い北熊沢に入った。

夏の終りだが都会はまだ炎暑、しかしここは。おれは後部ウインドウのガラスをおろした。木の葉や草の香りでいっぱいのひんやりとした風が入ってきた。

「やっぱりだ。もうクーラーは必要なかったんだ」と、おれは言った。

「なるほど。ずいぶん涼しいな」ちょっと驚いて工藤忠明は車のクーラーを切った。

左右は唐松並木で、仏法僧《ぶっぽうそう》、カッコー、雲雀《ひばり》など何種類かの鳥の鳴く声が静かさと冷気の中に大きく、かぼそく響いている。彼方《かなた》は愛染《あいぜん》山で、右手には弓先川の土手が見える。点在する別荘は次第に豪壮なものになってきて、もはや山小屋風の粗末なものはひとつもない。

「懐《なつ》かしいなあ」と、おれは言った。

「うん。懐かしいな」

「おれたちを招待してくれたのは、木内文麿氏かい。それとも典子嬢かい」

「家族全員の合意だろうが、言い出したのは彌生《やよい》夫人じゃないかな。うん。電話してきたのは彼女だったから。もちろん木内氏だってロートレックの自慢はしたかっただろうし」

「ううん」おれは腕組みした。「彌生夫人が電話してきたとすると何か、たくらみがあるぞ」

「どうしてだい」

「だってあのひとは、策士だろう」

「女性でも、策士なんて言うのかい」

「だって、たくらむだろう」

「何をたくらむの」

「そりゃまあ、いろいろとさ」不吉な考えをわざと口にせず、おれはことばを濁した。

「典子さんは素晴らしい人なんだがな」と、工藤忠明は言った。やはり彌生夫人を好きではないようだ。「典子嬢を君に押しつけようというたくらみなら、君だってまんざらじゃないんだろう」

それなのだ。まさにそれこそがおれの、不吉な推測なのだった。

「しかし、おれの気持は君だって」

「そりゃ知ってるさ。牧野寛子嬢だ。あんなしとやかなひとはいない。だけどさ。彼女の家庭はただのサラリーマンだろう。財産はないぜ」

「でも彼女は、はっきりと、おれを愛してくれてるようだしなあ」

「君が道楽で作ったあの映画の借金、どうするつもりだい。それなのにまだ君は二作めを作りたがってる」

「絵を売るさ」

「売る絵なんて、もう、一枚もないんだろうが」

「描《か》かなきゃなあ」

「そうそう。五月未亡人《さつき》も来てるそうだ。たくらみがあるとすれば、むしろ彼女じゃないのかな」

おれはまた呻《うめ》いた。五月未亡人は立原絵里の母親で、たいへんな資産家なのである。

「いやもう、まったく君は艶福家《えんぷくか》だよ」工藤忠明はおれの気持を無視してくすくす笑った。「二十八歳で独身で大画伯ともなれば当然だがね。いや羨《うらや》ましい」

「よしてくれ。あんな我がまま娘が、おれなんかと結婚する筈《はず》、ないだろうが」

「母親に似て、名声欲があるよ彼女には」

「よせったら。君だって二十八歳で独身で、将来の大学教授じゃないか」

「だめだよ。まだ助教授だもんね。しかし令嬢は三人もいるんだから、うまくいけばひとりくらい、君のおこぼれの頂戴《ちょうだい》にあずかるかもしれないいた」

「おこぼれとはひどいことを言うね。三人とも美人で、しかも処女なんだぜ」

おれたちはげらげら笑った。

工藤忠明は住まいと同じ区内にある私立大学で文化人類学を講じていた。

今は木内文麿氏の所有となった別荘、最近はロートレック荘の名で呼ばれるようになった建物が、やがて、行く手に現れた。その名にふさわしく、流れるような曲線、新印象主義の美術品に見られるような装飾、アーツ・アンド・クラフツの影響下に生まれたドイツのアール・ヌーヴォー、正しくはユーゲントシュティールという様式の華麗な建築物である。鉄柵《てっさく》の門は開かれていた。車は前庭の芝生の中に弧を描いている道を走ってポーチの階段下で停車した。

玄関から木内文麿氏、彌生夫人、そして牧野寛子の三人があらわれた。階段横の地下室への扉《とびら》からは、懐かしや別荘番の馬場金造が出てきた。別荘の所有者が代わっても、別荘番の彼だけは、恐らく木内文麿氏の要請によるものだろう、変わらず勤め続けているのである。

「坊っちゃま。重樹さま。お久しぶりでございます」金造は昔と同じ泣き顔じみた皺《しわ》だらけの笑顔でおれに言った。「ちっともお変わりになりませんで」

「やあ。元気そうだな」

「はい。元気でございます」金造はおれたちのトランクとスーツケースを両手に提げて階段をあがりはじめた。

ポロシャツ姿の木内文麿氏が晴ればれとした笑顔で、車から降りたおれたちに言った。「待ち兼ねておりましたよ。どちらのおとうさまも、お元気ですか」

「ええ。あいかわらずです」と、おれは言った。「失業者同士お互いの家に行き来して、兄弟で碁ばかり打っていますよ」

「典子がお出迎えいたしませんで」髪をブラウンに染めた彌生夫人が申し訳なさそうにそう言った。「今夜は浜口さまのためにご馳走《ちそう》をたくさん作るんだとかで、買物に行っておりまして」

「それはそれは」

目指す相手のことしか考えられなくなるのが彌生夫人の悪いところだ。工藤忠明は少し気を悪くしたようだった。

「車はわたくしが」夫妻のうしろに立って恥かしそうにしていたジーパン姿の牧野寛子が工藤忠明に代わって運転席に入り、車を建物の右手にあるガレージへ運ぶ。

あとふたつのボストンバッグを、恐縮する工藤忠明の手から木内文麿氏と彌生夫人がひとつずつ、無理にもぎ取って階段をのぼる。

玄関は西向きだった。おれたちは陽射《ひざ》しの強くなりはじめた階段をのぼり、両開きの扉からひんやりとした玄関ホールに入った。

ホールはうす暗く、天井は低い。小さなスポット・ライトがひとつ、右手の板壁の、額に入ったロートレックの石版画、お馴染《なじ》み「ムーラン・ルージュ」のポスターを照らし出していて、その横には物置部屋のドアがある。物置部屋には地下の管理人室、ワイン蔵、ボイラー室などへ降りる階段がある。左手の板壁には衣装室へのドアがあり、ここはそもそもパーティなどの際、客のコートなどを預かる部屋として作られたものらしいのだが、実際にはその用途で使われたことは一度もなく、今はどうなっているのか知らないが父親が所有している間はやはりがらくた置場で、ここにも地下への階段がある。正面は食堂で、昔と同じように両開きの扉は開放されたままになっていた。その他、壁の空間のところどころにはビアズリーの絵の額が六、七点配置されている。「イエロー・ブック」の表紙や、「サヴォイ」誌や「アーサー王の死」の挿絵《さしえ》などであるが、これらの絵はもちろんわが父親の時代にはなかったものであり、木内文麿氏によるコレクションである。

広い食堂に入ると南側にガラス戸があり、屋外の明るさがやや蘇《よみがえ》る。この部屋にも世紀末美術とでもいうべきものが多く展示されているかに見受けられたが、拝観はあとまわしにしなければならなかった。先に二階の各部屋へ案内する気らしく、金造に続いて木内夫妻も、食堂を入ってすぐ右手にある、弧を描いた大階段をあがりはじめたのだ。おれたちもあとに続いた。

階段をあがると階下を見おろす回廊があって、この回廊は手摺《てす》り越しに食堂を見おろしながら東西南北、ぐるりと一周できる。回廊には二階の各部屋へのドアがあり、各部屋のドアは東西南北に各ふたつずつある。食堂から見上げていれば誰がどの部屋に入り、どの部屋から誰が出てきたかは一目瞭然《りょうぜん》というわけだ。

「工藤先生にはそこの、南側の一人部屋をお使い願います」と、文麿氏は言った。

昔の、おれの部屋だ。

「画伯はこちらですのよ」ふざけたような口調で彌生夫人がそう言った。

階段をあがってすぐの、工藤忠明にあてがわれた部屋の隣室に案内されたのでおれは妙な気になった。両親の寝室だった部屋であり、いわばおれにとって禁断の部屋だったからだ。窓からは熊沢の中心地がほぼ見渡せた。

金造は部屋におれのスーツケースを置くと工藤忠明を案内して回廊を隣室に向かい、一緒に部屋に入ってきた木内夫妻は口ぐちに誰がどの部屋にいるかを教えた。

すべて教え終ってから、木内氏はにやりと笑った。「お教えしたからといって、どの部屋を訪れていただいてもよろしいというわけじゃありませんよ。何しろ年頃《としごろ》の令嬢ばかりでして」

「ですから皆さんにそれぞれ、ご自分の部屋の鍵《かぎ》をお渡ししておりますの」彌生夫人もにやにや笑った。「これがこのお部屋の鍵ですわ」

「懐かしいなあ」鍵を受け取りながらおれは言った。「この金色の、でかい鍵」

「だんだんになくしてしまって、今じゃ各部屋の鍵、ひとつずつしかないんです」彌生夫人が言った。「ですから、それ、おなくしになりませんようにね」

「わかりました」

「では、ごゆっくり。わたくしども食堂でお待ちしておりますから」

「のちほど食堂でコーヒーでも、ご一緒にいかがですか」と、文麿氏が言った。

「それはありがたい。すぐにうかがいます」

シャワーを浴び、Tシャツに着替えて階下におりると、工藤忠明がすでに食堂中央の大テーブルで牧野寛子からコーヒーの接待にあずかっていて、木内夫妻が彼に何やかや話しかけていた。

「助かったよ。なぜ結婚しないのかと責められていたところだ」

「責めるなどと、そんな」文麿氏があわててかぶりを振った。

工藤忠明のことなどどうでもよくて、要するに自分たちの娘の縁談に話をもっていきたいだけだ、と、おれは思った。そうはさせるものか。

「さきに、絵を拝見」と、おれは言って、東側、厨房《ちゅうぼう》への入口の左の壁に歩み寄った。

「あっ。どうぞどうぞ」たちまちにして他のことなどどうでもよくなった木内文麿氏が立ちあがり、おれのあとを追ってきた。絵の自慢をしたいに決まっていた。

「あのう重樹さん。コーヒーはいかがなさいますか」少し困ったような牧野寛子の柔らかい声も、おれの背中を追ってきた。

「もちろん、いただきますとも」振り返らずに、おれは言った。

しかたがない、といった気配で、結局全員がおれの傍《そば》にやってきて絵に眺《なが》め入った。

それは、決して大作ではないものの、ロートレックの傑作のひとつとされている油彩画だった。

「なんとまあ。『メイ・ベルフォール嬢』ではありませんか。よくまあ、手に入りましたなあ」おれは溜息《ためいき》とともにそう言った。

黒猫《くろねこ》を抱いて歌う黄色い衣装のメイ・ベルフォール。パリの人気歌手は遠慮も妥協もないロートレックの透徹した眼《め》でみごとに描き切られていた。

「パリ在住の個人のかたから譲り受けたものでしてね」文麿氏は嬉《うれ》しさを隠しきれぬ様子で、ややだらしない口もとを見せた。「たしかに手に入れるのは大変でした。何しろロートレックの作品のほとんどは、彼の死後に母親がアルビ美術館へ寄付してしまっていますからね。日本じゃ、わたしの知る限りでは倉敷の大原美術館に一点あるだけです」

ざっと見渡せば、その部屋の壁には他の絵に混ってあと三点のロートレックらしき油彩画がかかっている。たいへんな執念による蒐集《しゅうしゅう》の結果であるらしいことは、少くともおれにはすぐわかるのだ。

「でも浜口さんは、こんな古臭い絵、お嫌《きら》いでしょう」夫のコレクションに必ずしも共感を抱いていないらしい彌生夫人が、そう言った。「お描きになる絵も、まったく違いますしね」

「好き嫌いに関係なく、ロートレックの絵はロートレックだけのもので、ほかに比較すべき絵などないんですよ」

「重樹さん」湯気の立つコーヒーをトレイにのせ、牧野寛子がおれの傍へやってきて囁《ささや》くように言った。「ここでお召しあがりになりますか」

ふっくらとした丸顔。この上なくやさしい眼もと。彼女は美しかった。柔らかそうなからだは、薄いグレーのTシャツを着ているため近くに寄ってこられるとよりなまなましさを増し、抱きすくめればとろりとして溶解してしまいそうに感じられる。ジーパンの下腹部も、丸みと柔らかみを強調していた。

おれの露骨な視線に、彼女は恥じらいを見せた。

「あっ。いただきます。もちろん。はい。あの、ここで」おれは自分に恥じて少しうろたえ、あわててそう言った。一瞬彼女に魅惑されたがゆえの絶句であったことを、彼女に気づかれただろうか。もちろん、気づかれてもかまわないのだが。

なぜ、こんなにやさしい娘が作られ、やさしいままで成長したのだろう。父親と母親の人柄《ひとがら》がわかるような気がした。そして彼女はあきらかに、おれに好意を抱いていた。しかし、おれは自分の身を振り返って、燃えあがりそうになる感情を制御した。彼女の好意はあくまで、同情心から出たものだ。勘違いしてはいけない。今までにも何度か、勘違いをして恥をかき、心に傷を受けたではないか。思いあがってはならない。

「メイ・ベルフォール嬢」の前に立ったままでおれはコーヒーを飲んだ。ロートレック美術館とも言われているアルビ美術館には一度だけ行ったことがある。しかしこの時期の、つまり一八九〇年代の油彩画は少なかったようだ。石版画のポスターがやたらに多かったような記憶がある。

コーヒーは上等の、煎《い》りすぎていないブルーマウンテンだった。モンマルトルでコーヒーを飲んでいるかのような錯覚《さっかく》に陥るまでそうしていてから次の絵に移ろうとしたとき、耳から直接脳天に突き抜けるような声がしておれはのけぞった。

「まああ。浜口先生たちじゃありませんの。まああ。いつ、お着きになりましたの浜口先生。まああ。まああ。ちっとも存じませんで」

吹き抜けの天井にその声はかあん、と、こだました。立原絵里の母親、五月未亡人だった。見上げると彼女は西側の回廊から身を乗り出して手を振っていた。手を振るというより髪を振り乱しているといった方がいいような様子に見えたのは、年甲斐《としがい》もない赤く染めた髪をちりちりにしているせいだったろう。

「ふふふ。『存じませんで』ですって」おれの耳もとまで小腰をかがめ、揶揄《やゆ》的に彌生夫人が言った。「存じていて、大あわてでお化粧なさったくせに」

派手な服を着た五月未亡人があいかわらずきゃあ、きゃあと何ごとか騒ぎながら南の回廊をまわって階段を降りてきた。彼女がやってきたのではとても、落ちついた絵画の鑑賞などおぼつかない。全員がややげっそりした表情で中央の大テーブルに戻り、おれも従った。

「まあ。絵里さんはいませんの。絵里さんったら、何してるんでしょう」おれたちの前にやってきて挨拶《あいさつ》もそこそこに、焦《あせ》った表情の五月未亡人があたりを見まわし、回廊を見上げてきょときょとした。

娘を売り込もうとする気持があまりに露骨なので、おれたちは苦笑し、顔を見合わせた。しかしおれは、一方ではそんな彼女が可愛《かわい》くもあった。

全員が大テーブルの周囲に腰掛けた。おれは五月未亡人からなるべく離れた席に腰をおろし、牧野寛子からもう一杯ブルーマウンテンを注《つ》いでもらった。

「いつからご滞在ですか」

「昨日来ましたのよ」にっこり笑うと眼が細くなり、ほとんどなくなってしまう。

「絵里さんや、絵里さんのお母さまとご一緒に」

広い部屋に突然疳高《かんだか》い声が響き渡り、おれはまたのけぞった。

「まああ。工藤先生。いつからいらしてましたの。まああ。知らなかったわあ。まあ。誰も教えてくれないんですもの」立原絵里が北側の回廊から手を振っていた。

「なんだこれは。一卵性の親子かい」工藤忠明がおれに耳打ちした。「言うこととすることがまるで同じだ」

きゃあ、きゃあと言いながら立原絵里は東の回廊をまわって階段をおりてきた。彼女は足の動き次第では太腿《ふともも》が腰まで見えるという物騒なワンピースを着ていた。

立原絵里は工藤忠明の、大学での教え子である。牧野寛子、木内典子、立原絵里の三人は高校での同窓生であり、大学はそれぞれ違い、牧野寛子と木内典子は女子短大を卒業していた。

立原絵里が加わって、座はますます賑《にぎ》やかになった。彼女はしばらく「工藤先生」のうしろに立って何やかやと甘えてから、牧野寛子と並んでおれたちの前に腰掛けた。ふっくら顔の牧野寛子に比べれば立原絵里はやや面長《おもなが》で、どうやら減食をして痩《や》せようとしているらしく、目鼻立ちに比べて顔全体が小さく見えた。母親ほどではないにせよ化粧が濃いので顔色まではわからないが、まったく化粧をしていない牧野寛子と並ぶといくぶん不健康に見えた。

「先生の映画、拝見しましたわ」

立原絵里のことばで、全員がちょっと黙ってしまった。興行的失敗をみんなが知っていた。木内文麿氏なり五月未亡人なりが相談に乗ろうという口実でいずれは持ち出すことになるにせよ、まだ到着したばかりの現在、さしあたり話題としてはなるべく避けねばならない筈《はず》であった。しかし立原絵里はおかまいなしであった。

「とても面白かったわ。でも、興行的には失敗だったんですってね」

母親と娘が家庭で話したことをそのまま口移しに持ちこんできた無邪気さは可愛いとも言えたが、これでは馬鹿《ばか》すれすれであり、おれは思わず喉《のど》の奥で呻《うめ》いてしまった。

「いやあ。作品的にも失敗だったんじゃないかなあ」

「そんなことないでしょう」木内文麿氏が話を映画の内容に向けようとした。「少くとも導入部と、例の川の場面はどの批評も褒《ほ》めていたじゃありませんか」

第三章 承

だが立原絵里は、あいかわらずあっけらかんとした表情のままで訊《たず》ねた。「でも、次の作品は成功させる自信、おありになるんでしょう」

牧野寛子までがさすがに、いつもの微笑を浮かべたままではあるものの、立原絵里の顔をちらりと見た。しかし立原絵里は興味津津《しんしん》たる眼をそらすこともない。自分にいちばん興味のある話題のみを、時も場所も考えずに追及するところは母親そっくりである。

「絵里さん。そのお話、もっとあとになさったら」ほほほ、と笑って彌生夫人が意味ありげにそう言った。

立原絵里の軽薄さを全員の前で際立《きわだ》たせようというつもりであったのだろう。しかし立原絵里にはまったく通じない。

「あらあ。どうしてですの」やや上向き加減に甘えた声を出すその仕草は、つんとした鼻を持つ彼女に似つかわしく、それだけを見れば絵にしたいほど可愛かったが、いかんせん無神経さがすべてを白痴的に変換してしまっていた。

しばらく前に聞こえたエンジンの音は、やはり買物から帰ってきた木内典子が運転する車の音だった。ジーパン姿の彼女が、食堂の東側の、厨房からの大きな両開きのドアを開けて入ってきた。

「いらっしゃい」何ともいえず魅惑的な笑顔の木内典子が、はしゃぐでもなく、恥ずかしがるでもなく、やや男性的なしっかりした足どりでこちらへやってきた。「工藤先生、お久しぶりですわね」そういってから彼女はおれに頷《うなず》きかけた。「重樹さん」

「やあ」

おれはちょっと照れた。彼女にまともに見つめられると、そのきっぱりした眼に気《け》圧《お》されて、ついどぎまぎしてしまうのだ。その上外出から戻った彼女の顔は紅潮していて、光り輝いているようにも思えたのだった。

「お元気そうだわ」

「元気ですよ」何か言おうとしたが、ことばが出てこなかった。

「何を買ってきたんだい」木内文麿氏が娘に細めた眼を向けた。

「それは内緒です」何かひとこと言っては自分で頷くのが彼女の癖だった。「言ってしまうと晩ご飯の楽しみがなくなるでしょう」

「それもそうだね」娘の一言ひとことが嬉しい、といった様子で木内氏は頷く。

主人はわたしの言うことより娘に従うんですのよ、彌生夫人がそう言っていたことをおれは思い出した。

「典子さん。コーヒーは」

「いただくわ」

仲の良い牧野寛子が淹《い》れてくれたコーヒーを飲む木内典子を、男全員がなんとなくうっとりして眺めているのが、立原絵里には気に食わないようだった。

「ねえねえね。浜口さん。もう一度作るんでしょう」しつっこく彼女はまた訊ねた。答えるとすれば資金がないことを話題にしなければなるまい。またしても気まずい沈黙が訪れた。

「なんのこと」

小声で訊ねた木内典子に、牧野寛子が小声で答える。「映画の」

「まっ」

木内典子は屹《きっ》とした非難の眼を立原絵里に向けた。それが自分にもいささか関係してくる筈の、どういう話に結びつくのかは両親との会話で当然彼女も知っていた。そしてもちろん木内典子なら、自分からそんな話を持ち出すような慎みのないことをする筈はなかった。

牧野寛子が立ちあがって、やっと座を救った。「どんなもの買ってきたの。わたし、見てきてもいい」

「ええいいわよ。行きましょう」木内典子もコーヒーを飲み乾《ほ》して立ちあがった。行きかけ、立原絵里を振り返る。「あなたもちょっと」

「そう」立原絵里は不承ぶしょう立ちあがった。

娘三人は厨房《ちゅうぼう》に去った。しかしまだ五月未亡人がいる。映画の話を続けようとするかもしれず、娘たちがいないだけに尚《なお》さら切り出されやすいとも思え、油断はできなかった。

「ロスアンジェルスに支店を出すというお話はどうなりました」工藤忠明がけんめいの努力で、どうやら話題にしやすいことを発見した。

「ああ。あれですか」しかしあいにく、木内氏はまったく気乗り薄である。

「完全に人まかせですのよ」彌生夫人が不満げに訴える。「何とか言ってやってくださいな。趣味にばかり夢中で、仕事はほとんど投げやりで」

「投げやりということはない」文麿氏は笑った。「きちんとやっとる」

「会社がいずれも、軌道に乗っているからこその人まかせじゃないんですか」工藤忠明がやや阿《おもね》るように言った。「ぼくなんかが木内さんに何か言うなんて、そんな大それたことはできませんよ」

「でも、いちどロスへ行かれた方が」と、五月未亡人が子供をたしなめるような口調で言った。「仕事がうまくいってる時ほど、気をつけませんとね」

何を猪口才《ちょこざい》な、と、おれは思った。亭主の遺産でちょいとした事業をやっている五月未亡人と木内文麿氏とでは、仕事のスケールが違い、実業家としてのスケールも違う。自分からたしなめてくれと頼んでおきながら、彌生夫人も五月未亡人のことばにはさすがに片腹痛いという顔をした。木内文麿氏はただ笑っているだけだ。実際にはさほどでもないにかかわらず、事業を抛《ほう》り出して趣味にうちこんでいる金持ちというポーズを自分で気に入っているのかもしれなかった。

「浜口画伯は、最近いかがですか」木内文麿氏はゆったりした動作でこちらに向きなおった。濃い鼈甲《べっこう》縁の眼鏡の下の大きな鼻。分厚い唇《くちびる》。そして巨体。やはり圧倒するものを相手に感じさせずにはおかない。ビジネスの現場では尚さらであろう。「画業の方は。何か新しい制作にとりかかっておられますかな。個展の案内も久しく頂いておりませんが」

「行きづまっております。スランプと言えるでしょう。もちろんそのスランプからいずれ脱出するだろうということも、脱出する時期なども、ある程度の自信とともに自分ではわかっているんですが」

うん。まずまずの返事だ。

「結構」木内氏は大きくうなずいた。「スランプも自覚せず、技術だけで自動的に制作し続けている画家を、わたしはあまり信用しないんですよ」

「そうですとも」五月未亡人はむしろ木内文麿夫人として似つかわしいほどの肥満体を揺すって言った。「そういう良心的なお仕事をなさっているからこそ、作品の値打ちがどんどんあがるんですわ。今だともう、浜口さんの絵、号十万でございましょ。お若くてそんなに高いかた、美術年鑑を見ましても他にはおられませんわよねえ」話題がすぐにあけすけになってしまう。

「美術年鑑などというものは、実にいい加減なものでしてね」五月未亡人の、美術年鑑だけからの知識を、木内文麿氏が修正しようとして身をのり出した。「浜口画伯の絵が号十万ということはない。安過ぎます。外国で評価されている人の絵ほど、国内では軽んじられますからな。それに日本には、長老がいっぱいいることでもありますしね」

「おやまあ」五月未亡人がこころもちのけぞった。「それじゃあの、美術年鑑の評価というのは、年功序列でございますか」

「その傾向があるんじゃございませんの」彌生夫人が言った。「昔よりはだいぶましになっているようですけどね」

「こんなに人気がおありになってもですか」五月未亡人が丸くした眼《め》をこちらに向けて問いかけた。

「まあ、マスコミ人気と申しますか、今の人気はちょっと異常です。通常、こうしたマスコミ人気というのは反感を買って、逆に絵の評価が下がったりもします」

「あら。そんなことありませんわよ。絵の値段だって外国並みになって、このままどんどん値上りして行くに決まっていますわ。ねえ」どうしても値段にこだわる五月未亡人が彌生夫人に同意を求めた。

「だって浜口さんは、凄《すご》いくらいの美男子でいらっしゃるんだから、マスコミ人気も、まあ、当たり前でしょ」彌生夫人はわざと、いささかずれた感想を述べてはぐらかした。瘦せてしなやかなからだつきながら、しゃんと伸ばした背筋が精神の強靭《きょうじん》さと負けん気を物語っている。

「ほんとほんと。浜口画伯って、恰好《かっこう》いいんだから」五月未亡人はこの上なく蓮《はす》っ葉《ぱ》なはしゃぎかたをして見せ、けたたましく笑って全員をしらけさせた。口紅が毒毒しく、ここだけが口でございと示すかの如《ごと》く丹前《たんぜん》の袖口《そでぐち》のようにべったりと赤く塗られている。

我慢できず、おれは立ちあがった。「ではと。ぼくはまた絵を拝見させていただきましょうか」

悪いことを言ったかという表情で、五月未亡人だけでなく全員がどきりとしたようだ。

すかさず工藤忠明も立ちあがった。「ではぼくも」

「じゃ、わたしたちは、お台所へまいりましょうか」彌生夫人はこれ以上五月未亡人をこの場にとどめ置くまいという心遣いを見せてそう言った。「娘たちを手伝ってやりませんとね」

なんとよく似た親子だろう。もっとこの場にいて話し続けたかったらしく、五月未亡人はさっきの立原絵里とまったく同じ態度と表情でしぶしぶ立ちあがった。「あらあ。そうですか」

彼女は彌生夫人のあとから、マニキュアをした自分の爪《つめ》などを見ながら厨房へ去った。あきらかに炊事などは好まぬようだった。

嬉《うれ》しそうな顔をしたのは木内文麿氏だけである。彼はおれたちを北側の壁の絵の前に先導した。北側中央にある大きな窓の右側にかかっている絵である。すべての絵は、

メイ・ベルフォール嬢［18頁参照］
1895年　厚紙　油彩　50×33cm

洗濯女［33頁参照］
1889年　カンヴァス　油彩　93×75㎝

接吻［34頁参照］　1893年　厚紙　油彩　39×58cm

ヴァイオリニスト・ダンクラ［37頁参照］
1900年　カンヴァス　油彩　92×67cm

回廊の床下にあたる天井からスポット・ライトで照らされていた。

「これは大作だなあ」

窓の外を見る若い女が描かれていた。彼女は着ている白いシャツの袖を少しまくっていて、その顔は垂れた髪によって半分がた隠れている。

「これもパリの、個人のかたから買ったものでしてね。『洗濯女《せんたく》』というんですが」

「カンヴァスに描いていますね」

「ええ。『メイ・ベルフォール嬢』は厚紙に描いていますが、これはカンヴァスです」

画集で見たことがあった。モデルは「娘の肖像」など他の絵にも登場するカルメン・ゴーダン。タイトルらしくもなくまったく生活の匂《にお》いがないところなど、まことにロートレックらしい。人物のみに描写は集中し、見た限りではこのモデルの性格がいちばんよく出ている絵といえるだろう。

この部屋にもビアズリーの挿絵《さしえ》類が点在していたがいずれも原画ではなく、われわれは窓の左側の絵の前に移動した。あと、もう一点のロートレックは玄関ホールへのドアの右側にかかっている。

「圧倒されてしまいますね」絵の前にきて、工藤忠明が言った。「絵がわからないだけに、ぼくなんかただ、ロートレックなんて画家の絵をこれだけ蒐集《しゅうしゅう》なさるのにどれだけお金がかかっただろうなんて、ついそんな形而下《けいじか》的な想像を」

「そりゃ誰だって、それを考えるさ」笑いながらおれは言った。「これは女同士のキスですな」

「妻や娘にはそう申してはおりませんので、よろしく」木内文麿氏が声をひそめた。

「彼女たちがそれを知れば、不道徳だといって怒るに違いありませんのでね。彼女たち、特に娘が潔癖でして」

「ははあ。女同士ですかあ」工藤忠明も声をひそめて言った。「上に覆《おお》いかぶさっている方は男だと思いましたが」

「そう見るひともいますが、やはりこれは女と見る方が正しいでしょうな。他にも同種の絵がありますからね。画題はただの『接吻《せっぷん》』ですが」

ではあの三人娘にレズビアン的関係はまったくないわけだな、と、おれは思った。仮に牧野寛子と立原絵里がそういう関係になったとしても、勘の鋭い木内典子がただではおくまいから。

「これもパリの、個人のかたからお求めになったので」

「左様」

厚紙に描かれた、ベッドの上でからみあうふたりの女。頭の方から描かれているため、隠れている下半身のありようを想像させられた。見ようによってはいくらでも淫《いん》蕩《とう》な妄想《もうそう》が可能である。

「いや。いいんだ。いいんだ。わかってる。わかってるから」突然玄関ホールで、馬場金造と言い争う様子の声がした。

「錏《しころ》だな」木内文麿氏が苦笑まじりにそう呟《つぶや》いた。

われわれと同年輩に見えるサラリーマン風の男が案内されることもなく、無遠慮に食堂へ入ってきた。「ああ。社長。どうも突然お邪魔をいたしまして。購入品目のご決裁に急を要したものですから」

さすがに木内氏は顔をしかめた。「別に急など要さないんだよそんなものは。見ればわかるだろうが賓客とお話中なんだから、ちょっと待っていなさい」

「あっ」

しまったという顔つきになり、その錏という木内氏の会社の社員はちょっと立ちすくんだ。工藤忠明にぺこぺこ頭を下げ、次におれを見て、ぎくりとしたように硬直し、挨拶《あいさつ》もせずおれの矮小《わいしょう》なからだを上から見おろしてじろじろと眺《なが》めまわした。偏見を持つ人間がおれを見て最初に示す典型的な行為だったから、おれはげっそりした。その無礼さに、木内氏がありありと不機嫌《ふきげん》な表情を見せた。

「いや。これはどうも。どうも」

おれが何者かを悟ったようだ。気をとりなおし、それでもまだ反感のこもった顔でおれに一礼してから、銋は食堂中央のテーブルに向かおうとした。

「玄関ホールで待っていなさい」

すかさず木内氏の鋭い声がとび、自分の無礼な、そして厚かましい行為に気づいたらしく、銋は悄然《しょうぜん》として首うなだれ、玄関ホールに去った。

「どうも、申し訳ありません」木内氏が、どうやらわざとらしく、玄関ホールにまで聞こえるほどの声でおれに言った。「よく働く男なのですが、功名心が旺盛《おうせい》に過ぎましてね。仕事に熱中すると、礼儀もへったくれもなくなってしまうのですよ」

「いやあ、そういう人はよくおりますな」おれは木内氏をなぐさめるようにそう言った。

「銋、とかおっしゃいましたね」

「ええ。変わった名前です」そして木内文麿氏はいささか意味ありげに声を低めた。

「娘に気があるようでして」

「なんと、厚かましい」

「身の程知らずな」

同時にそう言ってしまい、おれたちは顔を見あわせ、そしてくすくす笑った。

「ははあ。お嬢さんに逢《あ》いたくて、それでたいした用でもないのに東京からわざわざやってきたわけですな」玄関ホールからの入口の右側の壁へと歩きはじめながら、工藤忠明がうなずいて言った。

「まさか、典子さんまでがあの男を憎からず思っておられる、なんてことはないんでしょうな」

「いやいや。そのご心配は画伯、ご無用と思いますよ」笑いながら、木内文麿氏はロートレックの最後の一枚の前に立った。「さっきの『接吻』は厚紙に描かれていますが、これはカンヴァスです。『ヴァイオリニスト・ダンクラ』というのですが」

画面は、どうやら舞台への出を待っているらしいヴァイオリニストが椅子《いす》に掛け、ヴァイオリンを調音しているところを描いたもののようだった。

「このヴァイオリニストとロートレックは、親しかったのですか」

「いや。演奏している舞台にたまたま興味を持ったので描いたようです」

「とすると、ロートレックとしては極めて珍しい絵ということになりますね」おれは言った。「彼はそういうことを滅多にしませんでしたから」

「ははあ。ひと見知りをした、というわけですか」

「そりゃ、決まってるでしょう。彼がいくら陽気で、友人たちの間では人気者だったとしても、侏儒《しゅじゅ》ということでおのずから限度というものがありました」おれはまるでおれ自身がロートレックであるかのように断言した。「事実彼は、親しい人以外の肖像を描いてはいないんですよ。プロの女性モデルを除いてはね」

「で、これもやはり、パリの個人所蔵のものを」工藤忠明が訊《たず》ねた。

「いやいや。これはオランダのかたから譲り受けました」

「ずいぶんあちこち、蒐集してまわられたのですなあ」

しばらく「ヴァイオリニスト・ダンクラ」を眺めてから、おれはあらためて広い食堂を見まわした。「ロートレックはこれだけで、あとはみんなビアズリーですか」ビアズリーと思える絵はすべて石版画の小さなものだった。表紙や挿絵などであろう。

「ポスターも少しは集めていますが」と、木内文麿氏は言った。「ご承知のように現在残っているロートレックのポスターは、ほとんど必ずどこかが破れていて完全なものは一枚もありません。そういうものでしたら各部屋に一枚ずつ飾っておりますよ」

「あっ。それは気がつかなかったな」

「いやあ。それにしたって、やっぱりたいしたものでしょう」

「こうしてこの部屋を見ると」おれは吹き抜けの天井、でかいシャンデリア、回廊の手摺《てす》り、階段、そして食堂の壁を順に見まわしながら言った。「絵が飾られていると いうだけで、ぼくのいた頃《ころ》とはずいぶん感じが変わってしまうものですなあ」

「やはり、お懐《なつ》かしいですか」自分が別荘を手に入れたことを詫《わ》びるような口調で木内氏はおれに訊ねた。

「ええ」あの錏という男が木内氏を待っていることに気がつき、おれは場をはずそうと思った。あの男に、会いたくはなかった。「ぼくはちょっと、昔を懐かしんで、あたりを歩きまわって来たいんですが」

「じゃあ、一緒に行こう」

わが忠実なる護衛兵がただちにそう言っておれの方へ一歩近づいたが、おれは彼を押しとどめた。

「いいんだ。いいんだ。ひとりで思い出に耽《ふけ》りたいんだから、君はここにいてくれ」

「まあ、当然この辺のことは君の方が詳しいんだから、じゃ、ぼくはここにいよう」

「じゃ、馬場金造にお供を命じましょうか」

木内氏の申し出にも、おれはかぶりを振った。「金造との昔話なら、そぞろ歩きにふさわしいでしょうが、わざわざお呼びくださることはありません。その辺で出会うでしょうから」

「そうですか。それではどうぞご自由に」そう言ってから木内文麿氏はちょっとにやりとした。「ご自分の別荘におられるおつもりで邸内のどこをご覧になっても結構ですが、先程申しあげた、独身女性の部屋のみはご遠慮くださいますように」

「わかっております。わかっております」おれは大きくうなずいた。「バルコニーをまわる、などということもいたしません」

二階の各部屋のバルコニーはつながっていて、いわば外側の回廊とでも言うべく、邸《やしき》をぐるりと一周できるのだった。当然カーテンで遮《さえぎ》られていない限り、二階のどの部屋も、覗《のぞ》こうとすればバルコニーからは丸見えなのだ。

ひとりで玄関ホールに出ると、片隅《かたすみ》の革張りのソファに鋲が腰掛けていた。彼はおれを見ると、またしてもなんの挨拶もせず、しばらくの間じろじろとおれの体軀《たいく》を見た。まるで金を払って一方的に眺めるだけの見世物とでも思っているかのようであり、そうしたところで何ら差し支《つか》えはないと信じ切っているかのようでもあった。こういう連中にとって自分たちとほんの少しでも様子の違う者は、もはや人間扱いをしなくてもよく、そうしたところで誰からも文句を言われる筋あいはない筈《はず》の存在なのだろう。無作法を指摘されるとこの連中は必ず心外そうな顔をして見せるのだが、この鋲もまた、そうした連中のひとりであった。

彼は立ち上がった。いささかなりともこちらが有名人であることに彼らが気づくのは必ず、さんざ物珍しげにこちらを眺めてからなのである。一礼した鋸の眼《め》に、今度は軽蔑《けいべつ》の色と、ライバルに対する敵意の混じりあった感情がありありと浮かんだ。この邸に出入りする若い男すべてを恋敵と断じている一方では、このような矮小な畸形《きけい》が木内典子嬢の好意を得られる筈がないと自分を納得させているのだ。

おれは召し使いに対する鷹揚《おうよう》な首だけの会釈《えしゃく》を鋸に返し、今は閉じられている両開きの大きな扉《とびら》のくぐり戸から正面玄関を出た。

第四章　遡

玄関前の六段の階段には、すでに西陽《にしび》がかっと照りつけていた。おれは陽射《ひざ》しを避けて手をかざし、前庭を眺めた。唐松などの高い大木やあちこちの植込み、芝生のたたずまいなどは昔とまったく変わらない。馬場金造の丹精によるものだろう、すべて綺麗《きれい》に整えられていた。思いがけぬ強い陽射しに、おれは庭に出るのをやめ、邸の周囲をめぐることにした。

この邸はもともと明治三十何年かに、トマスなんとかと言うドイツ人貿易商によって建てられたものだ。だから建てられて約九十年になる。だいたいこの避暑地が外人によって開発されはじめたのが明治十年代だというから、この避暑地の外人の別荘としてはブームのさなかに建てられたものであろう。海外からの客の接待などに使ったらしくてバス・トイレつきの客室がやたらに多く、戦後父親が購入する時、最初はホテルだったのかと思ったらしい。

玄関ポーチの上は、大きく張り出したバルコニーになっている。まるで時おり王と王妃が閲兵でも行うかのようなたたずまいのバルコニーであり、だからバルコニーの奥の、二階右側のその部屋はいみじくも木内夫妻の寝室になっている。そのバルコニーは、広いめの廊下くらい、約二メートルの幅になって二階のまわりをぐるりとまわっている。二階の各部屋からはすべて、バルコニーに出ることができた。

玄関を出て左へ行くと、正面階段の横に狭い地下室への階段がある。地下室とはいえ、それは欧米風の中地階とでもいうべきものであって、窓からは外光が入るし、その窓の外には通路があり、建物をぐるりとまわっている。子供のころ、よく駈《か》けまわった中地階の通路だ。あちこちにドイツ人が残していった壊れた家具などのがらくたが置いてあって、狭い通路をふさいでいたことを憶《おぼ》えている。階段をおりたところに木造の扉のあるその部屋が馬場金造の住まいであり、昔はよく遊びにいったものだ。あとでちょっと寄ってみようかな、と思う。金造、喜ぶだろうなあ。懐かしいなあ。

邸のかどを左に折れて南側にまわると、右手の眺望《ちょうぼう》が開けて別荘地の中心部が見渡せ、夜ともなればなかなかの景観となる。だから食堂からはガラス戸でテラスへ出られるようになっている。そのテラスは中地階の通路の上に大きく張り出し、石造りのテーブルや椅子もあり、向かって右側には庭へ降りる五段の石段もある。四枚のガラス戸が閉め切られているにかかわらず、食堂の中からは、あの錏という男の、木内氏に何やら報告する押しつけがましい声がかすかに聞こえてきた。あいかわらず無神経なでかい声で喋《しゃべ》っているらしい。

正面には庭のはずれに大きな木造のガレージがある。おれたちの頃には物置小屋だったが、今は入口にシャッターがついてもとのガレージに復活していた。今は少くとも三台の車が入っている筈だ。立原絵里も母親と牧野寛子を乗せ、車できた筈だからである。

邸の南東のかどを左へ折れる。邸の東側は裏庭だ。芝生には以前滑り台があったが、おれの事故のあと台座ごと撤去されていた。隅には小さな池もある。ま東は弓先川であり、北東は塀《へい》も柵《さく》もないままに、はるか彼方《かなた》の愛染山に続く裏山の森へと通じている。つまりこの邸は北熊沢のいちばん奥にあり、ハイカーや散歩者が個人の住居へ侵入したという自覚のないままに森の中から庭へ侵入してくることもあるわけで、いささか物騒でもあるのだ。

おれは振りかえって邸を見上げた。二階のバルコニーからは、幅の広い石段でまっすぐ庭におりてくることができる。そのバルコニーの彼方の二階の部屋は、今はガラス戸にカーテンが引かれていて室内は見えないものの牧野寛子の部屋であり、同じくカーテンの引かれたその右隣が木内典子の部屋である。おれはなんとなく悩ましい思いで、美しいふたりの娘の、そのふたつの部屋の、その悩ましい色をしたカーテンをぼんやりと眺めた。

「坊っちゃま。重樹さま」

馬場金造だった。

バルコニーへの大きな階段の右横には、少し引っこんで厨房《ちゅうぼう》への入口に達する狭い五段の石段があり、左横には中地階への階段がある。馬場金造はその階段をあがってきておれを見つけ、例の泣き顔じみた笑顔で近づいてきた。「お散歩で」

「いやあ。懐かしくてねえ」と、おれは片手を振りまわしてあたりを示しながら言った。「思い出すことばかりだ」

「この辺は、ちっとも変わりませんで」金造はうなずいた。

彼の頭を見あげ、おれは言った。「なあ金造。お前は少し、白髪《しらが》がふえたかい」

「そりゃもう、なんてったって歳《とし》でございますから」

「いくつになったの」

「六十一になりました」

おれは地下室の右手の窓を指した。「あそこはあいかわらず、食料品やワインの貯蔵室かい」

「左様で。お入りになりますか」

「懐かしいから入ってみたいけど、今はもう自分の別荘じゃないからなあ」

「なあに。たいしたものは何もありゃあしませんから、かまやせんでしょう」

金造が地下への階段をおりはじめたので、しかたなくおれもあとに続いた。ほんの五段ばかりの石段をおりると中地階を取り巻く通路で、鉄扉《てっぴ》がふたつ並んでいる。

「こっちはやっぱり、石炭置場とボイラー室かい」左側の鉄扉を指しておれは言った。

「そうですが、今は焼却炉にしか使っておりません」金造は言った。「給湯は電気のボイラーでやっておりますし、暖房は冬のあいだ、わたしひとりしか使いませんので、自分の部屋で電気ストーブを使っとります」金造が右側の鉄扉を開いて言った。「どうぞ」

中へ入ると食品の貯蔵室はよく冷えていて懐かしい匂《にお》いがした。しかし肝心の食料品はといえば、金造の言うとおり、缶詰《かんづめ》類やその他の保存食がわずかに両側の棚《たな》にのっているだけだった。中央の石の大テーブルの上には大きな洗濯籠《せんたくかご》が置かれていて、中にはクリーニング屋に出す衣類が山のように盛りあがっていた。木内家だけの洗濯物がこれほどあるわけはないので、きっと立原母娘《おやこ》や牧野寛子のものも混っているのだろう。

室内はがらんとしていた。奥にあるドアはワイン蔵へのドアであり、ワイン蔵を通り抜ければドアの向こうには玄関ホールへの階段がある。左手にはボイラー室へのドアもあった。

食品貯蔵室の北の壁にはダム・ウエイターの正方形の戸がある。おれはその前に立ち、戸の下部の把手《とって》を握り、上に押し上げた。中を覗きこむと、すぐ下には昔のまま、モーターが置かれていた。

「こいつ、まだ動くのかい」

「よくそれでいたずらなさいましたなあ坊っちゃまは」金造は破顔した。「わたしゃ、はらはらのし通しでしたよ。またそいつに乗られるんじゃないかと思いましてね」彼は左隣の配電盤の蓋《ふた》をあけ、電源のナイフ・スイッチを入れた。「さて。動きますかな」

戸の右側、縦に三つ並んだいちばん下のボタンを押すと、ブーンと鈍い大きな音がしてモーターがまわりはじめ、上から棚がおりてきた。

「やあ。まだ動きましたなあ。もう何年も使っておりませんでしたが」金造が大声を出した。

この料理用昇降機は地下から一階の厨房へ料理の材料やワインなどを運び、さらに二階の一室へ料理を運び上げるように作られている。その二階の部屋というのは、現在木内典子が寝起きしている部屋にあたる。昔はドイツ人夫婦の寝室だった部屋ででもあるのだろう。

「こんなものがあること、木内さんご一家はご存じなのかい」

「さてね。わたしは訊ねられたことが一度もないので、おそらくご存じないのでは」

知らない筈はないだろうな、と、おれは思う。いかに不注意でも、厨房の壁に正体不明の戸があれば一応は開けてみようとするだろうし、木内典子だって、何かで隠されていない限り自室にあるダム・ウエイターの戸には気づく筈だ。ただそれが料理用のエレベーターであると判断できるかどうかだが、横の壁に押しボタンが縦に三つ並んでついているのだから、それでもなお判断できないほど頭の悪い家族ではない。

「ワイン蔵には、ワインは豊富かい」おれはワイン蔵のドアの前で金造に訊ねた。

「はい。まず、五十本ばかり」

「ほほう」たいした数ではないものの、少しでも蓄えられている限り、中を覗くのは失礼にあたる。「では、入るのは遠慮しよう。意地汚い行為になってしまう」おれは笑いながらそう言って地下室を出た。

金造がついてきた。「坊っちゃま」

「なんだい」

「昔、わたしが坊っちゃまをおんぶして、あの森の中をよく散歩したこと、まだ憶えてらっしゃいますか」

「そうだったなあ」

ちょっとためらってから、金造は言った。「今は森林浴なんてふうに申すそうですが、およろしければ、またあのようにして、森の中をご案内いたしましょうか」

そうなのだ。おれは二十八歳になった今でもあの頃と同じからだで、六十一歳の金造に背負われ、森の中を散歩することができるのだった。

「そうだね。金造」おれはじっと金造を見つめた。「ぼくは成長が止まってしまい、身長も体重も、あの頃とほとんど変わっていないんだものね。だから今だって、お前は昔と同じように、ぼくを軽がると背負うことができるんだね」

「坊っちゃま」たちまち金造の眼に涙があふれた。「ああ。坊っちゃま。お気の毒なことでございましたなあ。わしはまったく、あれからずっと、坊っちゃまがお気の毒でなりませんので」

「だけど、ぼくはもう二十八だからね」無理に笑って見せ、おれは言った。「やっぱり、おんぶは照れくさいよ」

「いやあ、これはやはり、そうでございましょうなあ」金造も泣き笑いをしながら大声で言った。「そうでしょうとも」

裏庭で金造と別れ、おれはバルコニーへの階段をのぼった。

山から涼しい風が吹いてきた。針葉樹の、鼻を刺激する香りがした。おれの足は短いから、たった二十数段の階段をのぼっただけで太腿《ふともも》が痛くなってしまう。

バルコニーに達し、おれは牧野寛子の部屋からなるべく眼をそむけるようにして南側へ歩いた。北側へ行くと木内典子の部屋、左に折れて立原絵里の部屋と令嬢の居室が続くから、いかにカーテンに閉ざされているとはいえ、何やら覗き見の誘惑と出歯《でば》亀《がめ》と思われる疑惑に接近することになる。立原絵里の部屋など、彼女の性格から推測してカーテンが開かれている可能性もあった。

牧野寛子の南隣にあたる角の部屋は工藤忠明に充《あ》てられた、以前のおれの部屋だ。だがこのふたつの部屋の間には幅約五十センチの空間がある。掃除道具などを入れておく空間で、戸は邸内の回廊にあるのだが、この空間にはおそらくおれしか知らないだろうと思える秘密があった。

おれは壁に近寄ると、柱形の陰にかくれたその部分にだけ嵌《は》め込まれている十五センチ立方の小さな石を抜き取った。石を下に置いて穴の中に腕を突っ込む。おれの腕で肘《ひじ》の上まで、だいたい四十センチほど突っ込むと指先が穴の奥に当たる。手で探る

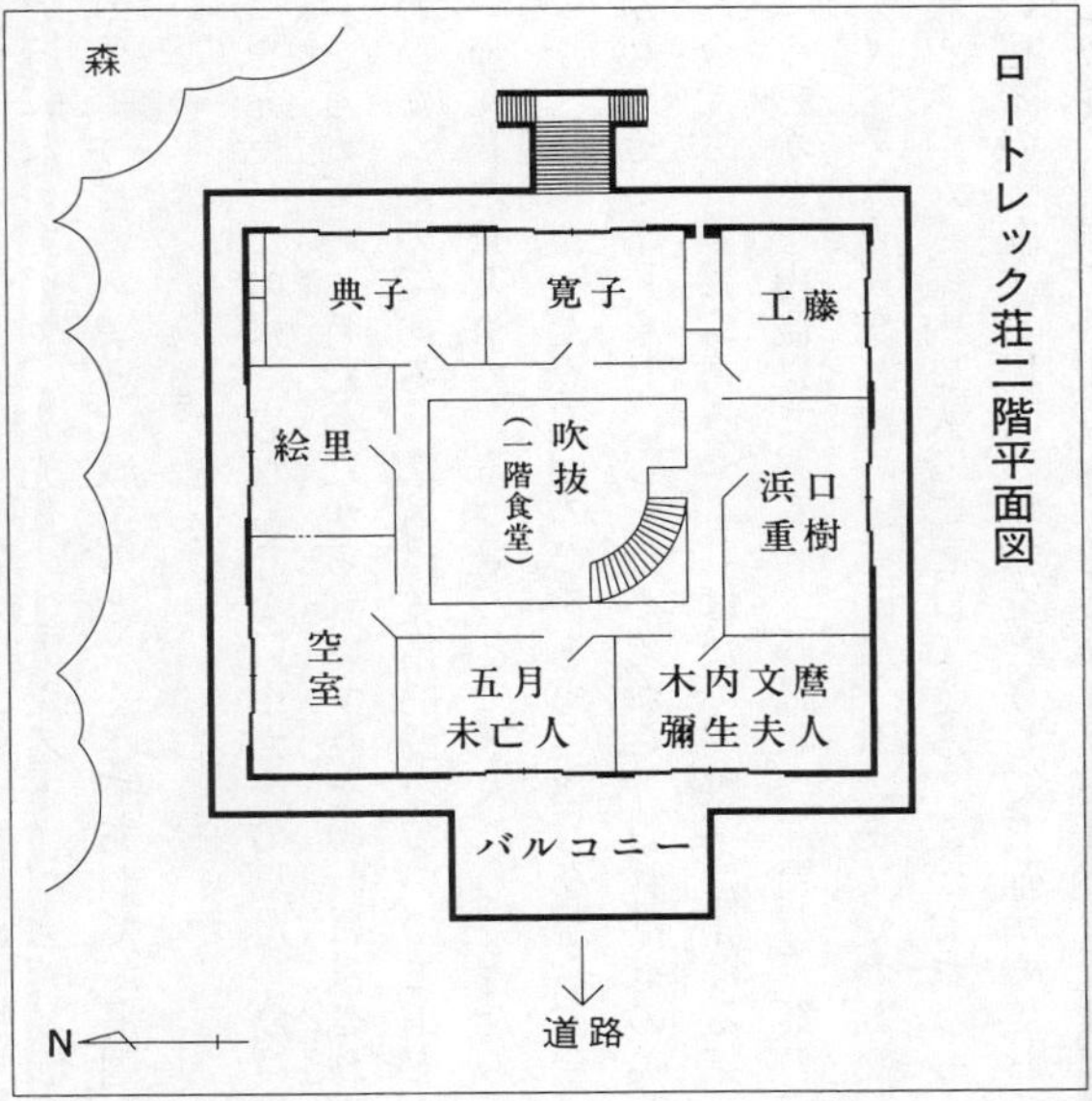

ロートレック荘二階平面図
森
典子
寛子
工藤
絵里
吹抜
（一階食堂）
浜口
重樹
空室
五月
未亡人
木内文麿
彌生夫人
バルコニー
道路
N

と指は硬い、冷たいものに触れる。つかんで引き寄せる。拳銃《けんじゅう》だ。道具置場の奥からも取れるようになっていて、先先代の住人たるドイツ人貿易商の、半ばは遊びのような護身用の仕掛けといえよう。戦争のどさくさであわてて帰国したため忘れていったものに違いない。

この秘密を発見したのは、忘れもしない十六歳の夏だった。すっかり厭世《えんせい》的になっていて自殺を考えている時だったから、いずれその時にはこれを使ってなどと思い、誰にも言わなかったのである。拳銃は美術品的な装いのモーゼル・オートマチックで三二口径。弾丸も六発入っている。夏ごとに手入れしてきたので、まだどこも錆《さ》びてはいなかった。暗鬱《あんうつ》だった思春期のころを思い出しながら、今は逆に少年のように胸をときめかせ、その拳銃をしばらく眺《なが》めてから、おれはその美しい凶器をもとの場所に返した。今でも、誰にも言うつもりはなく、警察に届ける気もなかった。

バルコニーのかどを南側にまわる。工藤忠明の部屋だ。案の定カーテンを閉めてはいないが、もちろん覗《のぞ》く気もない。そしておれにあてがわれた部屋。さっき開けておいたのでガラス戸から室内に入ることはできる。だがおれはもう一カ所だけ、おれしか知らない秘密の存在する場所の現状をどうしても確かめておきたいのだ。邸内の回廊から行こうか、外側のバルコニーをまわろうかと、おれはしばらく思案した。バルコニーをあまりうろうろすれば他人の部屋の覗きにつながるし、目的の部屋に入れるかどうかがわからない。回廊から行けば、その部屋の鍵《かぎ》は失われている筈《はず》なので入れることは確実だが、よその部屋へ入ろうとしていることが食堂から見られてしまう。いかにおれの身長が低いとはいえ、いくら手摺《てす》りから離れて歩こうと下から見上げれば丸見えだ。おれはバルコニーから目的の部屋へまわってみることにした。

バルコニーを西側へまわる。かどは木内夫妻の部屋だ。陽が照りつけるのでカーテンは閉め切られている。その彼方《かなた》は五月未亡人の部屋で、やはりカーテンがひかれているが、覗き見ではないとなかば自分を納得させるように、おれは玄関ポーチの上へ大きく張り出しているその部分のバルコニーを、高さ約一メートルのコンクリートの囲いに身を寄せ、大まわりして通過した。

北側のバルコニーに出た。かどは目ざす空部屋である。その向こうが立原絵里の部屋だ。おれは空部屋のガラス戸を確かめた。当然だが、中から錠がおりていた。やっぱりな。おれは侵入をあきらめた。

回廊からのその部屋の鍵は、父親が別荘を譲り受けたときからなかったという。だから誰も泊めず、家族が使用することもなかったのだ。ただおれだけがよく遊びに入った。そして隣室への抜け穴を発見したのだった。五歳の時だったから、これは両親に報告した。父も母もその時ちょっと面白がっただけですぐ忘れてしまったようだったが、おれは何度か抜け穴をくぐって、東隣の部屋、つまり現在立原絵里のいる部屋だが、その部屋に泊った客を驚かせたことが二、三度ある。そのたびに両親に叱《しか》られ、小学生になってからは、場合によってはそれが重大な人権侵害行為にあたると悟ってやめてしまった。ただし客がいない時は、のちにわが忠実な護衛となる従弟《いとこ》と共に通り抜けをして遊んだものだったが。

たいした仕掛けではない。単に羽目板の一枚が取りはずせるようになっているだけだ。だが幼年期の無邪気な興味の対象は、成人した今、なんとなくロマンチックで伝奇的で、そしてちょっぴりエロチックな仕掛けとして心に残り、心から離れないのである。

食堂に誰もいない時、そしてもちろん立原絵里が自室にいないことがはっきりしている時を見はからって、回廊から行ってみよう。おれはそう思いながら、やってきた通り西側のバルコニーをまわって自室に戻った。

第五章　徹

六時半に木内典子がドアをノックした。

「お夕食です。どうぞ食堂へ」

その涼しい声で、エッセイを書いていたおれは、すぐに立ちあがった。

「遅い朝食だけで、昼飯を食べていなかったから、腹がへった」

「ぼくもそうだよ」

おりていくと、食堂にはもう全員が揃《そろ》っていた。おれたちはいつも通り、並んで腰かけた。

鉦までが食卓についていた。なんと図ずうしいやつだと思っておれはあきれた。ながながと夕方まで居続けて、ちゃっかり相伴にあずかったものらしい。

「鉦和博《かずひろ》と申します」

木内典子が紹介したので、鉦は立ちあがり、神妙に頭を下げた。父親の文麿氏も母親の彌生夫人もそ知らぬ顔なので、木内典子は鉦に、おれたちを次つぎと紹介した。彼女が鉦ごときに気を遣う様子なので、おれは平静ではなかった。しかし考えてみれば、これが彼女の性格なのだ。夕食時までいた以上は夕食を出さねばならないと考え、彼をディナーに招待したのもおそらくこの典子嬢であろう。たとえ自分が好きではない相手でもきちんと礼を尽すという堅苦しさが彼女にはあった。また、たとえ父親の会社の社員でも客として扱うという博愛主義のようなものもあった。馬場金造のような使用人に対しても、ていねいに話すというふうだった。ところが鋹には彼女のそうした態度が好意のあらわれと見えるため、つい図にのって分不相応な夢を抱いてしまうに違いないのだ。おれはいらいらした。鋹は隅《すみ》の席ではあるものの、どう画策したか厚かましくも、高価そうな濃紺のドレスに着替えた典子嬢とはテーブルのかどをはさんですぐ隣りの席に座を占めていた。

牧野寛子もつつましく鋹の正面にあたる隅の席にいて、木内典子と入れかわり立ちかわり厨房《ちゅうぼう》へ立つなど、こまごまと料理に気を配っていた。清楚《せいそ》なワンピースに着替えていて、それはそれで美しく、昼間よりも肉感的だった。彼女が立つたび、おれは彼女を眼《め》で追わずにはいられなかった。

「諸外国の商品を仕入れてまわっておりまして」鋹は令嬢たちに聞かせようとするためか不必要な大声で工藤忠明にそんなことを話し続けている。「実はこのお部屋の絵画を購入する交渉などもわたくしが。はい」

だから自分がここにいる権利はあるのだと言いたい様子である。工藤忠明は話しかけられて迷惑そうだ。

「ねえねえ、やっぱり次の映画のお話、うかがいたいわ」母親の五月未亡人と並んでテーブルの中央に座を占めている立原絵里が話題に退屈し、例の甘えるような声で、ちょっと身をゆすり加減にそう言った。「なぜだかそのお話、しちゃいけないなんて言われちゃったんだけど、やっぱりうかがいたいわ」

木内典子に言われたに違いない。そして典子嬢はちょうど厨房に立っていて、その場にいない。だからこそ話をぶり返したに違いなかった。

「おや。あら。そのお話、どうしてしちゃいけないんでございますか」五月未亡人がわざとらしく眼を丸くして誰にともなく訊《たず》ねた。

なま臭くなる話題だから、などという返事は誰にもできず、できないことを五月未亡人も知っている筈だった。似た親娘《おやこ》だなあ。またしてもそう思う。

「さあ。どうしてでございましょうね」スープ皿に顔を伏せたまま笑い、彌生夫人が言った。

「重樹さんは」突然、工藤忠明の頭越しに牧野寛子が話しかけてきた。「もう二十回以上もフランスへ行ってらっしゃるんですのね。春に出されたエッセイ集にお書きになってらしたでしょ」

おれはどぎまぎした。「ええ。まあ。美術館まわりですが」

「へえ。フランスだけで二十回ですか」さっそく競争意識を剝《む》き出しにして鉦和博がおれを睨《にら》みつけた。

牧野寛子の可愛《かわい》い意図がわかった。鉦とおれに外遊談をやらせて、話題を自分にとっては不利な映画の話に向けさせまいとしているのだ。だが実は、鉦と話すなどということはおれにとって、映画の話題以上に迷惑なことだったのだ。

「まあ、ほとんどフランスだけにしか行っておりませんが」

「ははあ。フランスだけですか」馬鹿《ばか》にしたように鉦はうなずいて、それでは自分と対等の話はできまいとばかりに、わざとらしく沈黙した。

鉦のおれに対する軽視を悟ったのか、牧野寛子はあわてて彼に言った。「重樹さんはあのフランス紀行で、エッセイスト賞をとられたんです」

「へええ」そんなことには意地でも感心しないぞという固い表情で鉦は頷《うなず》き、無関心を示してまた沈黙した。

「あれは今、うちの大学で講義のテキストにしている人がいますよ」工藤忠明が一同を見まわし、大声でそう言った。鉦に腹を立てはじめていた。

「いい文章ですからなあ。ナイーヴな」宥《なだ》めるように木内文麿氏は言った。急にみんながおれの本を褒《ほ》めはじめた。

「ユーモアもあるんですのよね」

「フランスの美術界でも評判です。今、翻訳しているひとがいますが」

「わたしも重樹さんの文章、大好きだわ」厨房から戻ってきた木内典子までが、雰囲《ふんい》気《き》を悟らぬままにそう言った。

「工藤さんは、大学はどちらですか」苛立《いらだ》った鉦はステーキを切るナイフとフォークの動きを止めると矛先きを変え、なんとも言えぬいやな眼をして今度は工藤忠明を凝視しながらそう訊ねた。表情に、屈折した敵意と屈辱感が浮き出し、策謀がちらついていた。

工藤忠明はまごつきながら、自分が助教授をしている大学の名を言った。だが鉦はかぶりを振った。出身校はどこかというのであった。こんどは学歴自慢か。おれはうんざりした。疑いもなく鉦和博は一流の大学を出ているのであろう。

「でも、いくらいい大学を出ていても、資産がありませんとねえ」工藤忠明がまごつく間に先手を打って、鉦の隣りの席の五月未亡人が言った。「学歴に振りまわされるばかりで、したいことが何もできませんものねえ。そういうひと、主人の部下にもたくさんいましたわ」

鉦は口を真一文字に閉ざし、こういう人種とは意地でも話さないぞという決意を見せてまた黙りこんだ。

「浜口さんもお気の毒ですわね」ことのついでにと、五月未亡人はついにみんなの牽《けん》制《せい》を振り切って大テーマへ切りこんだ。「お父さまがたの破産さえなければ、映画の製作費くらいでお悩みになることもなかったでしょうに」

全員がちょっと凝固したようであった。

「ほう」鉦が、興味深げに身をのり出した。「また映画をお作りになるのですか」

「まあ、作りたいと思っているのですが」

「そのお話、うかがいたいですな」自身が資本家ででもあるかのように尊大な口調で、鉦は言った。「お話によっては、スポンサー捜しにご協力できると思いますが」

こんな男に協力されたら、何をされるかわかったものではない。

「あら。お金を出そうという候補者ならいるんですよ」立原絵里があわてて大声を出してしまった。彼女は身をすくめ、料理に眼を落したままの木内典子をうかがい、余計なことを言うなとばかりに鉦を睨みつけ、それから母親と木内文麿氏に同意を求めた。「そうでしょう」

「そりゃ、いるでしょう」木内氏はひとごとのようにそう言い、笑ってごまかした。

「浜口画伯の映画となれば、誰だって」

「ああら。誰だってということはないでしょう」不満げに、立原絵里は泣くような声を出した。「だって浜口さんの映画、第一作目はコケたんでしょう」

とうとう言ってしまった。おれは腹の中で舌打ちをした。それも、どこで憶《おぼ》えたのか知ったかぶりの業界用語で。

「絵里さんったら」錠がいるためか、木内典子が、きっぱりした彼女としては比較的おだやかな口調でたしなめた。「ワインでちょっと酔ってらっしゃるのね」

「えっ。えっ。どうしたんですか」意味がわからなかったらしく、錠がこちらへ顔をつき出し、訊ねかけてきた。

「観客が不入りだったということですよ」

「なるほど」さもあらん、とばかりに彼は大きく頷いた。「それはまずいですな」

「まあ、高踏的だったからね」木内文麿氏が弁護した。「一般受けはしないだろうさ」

「でも、作品としてはなかなかのものでしたよ」彌生夫人が顔をあげて訊ねた。「監督さんご自身も、そう思ってらっしゃるんでしょう」

「いやあ。やはり作品としても失敗じゃないですかねえ」

「なにしろ浜口画伯は、あの業界のことを何も知らないままに監督をしたんですから」工藤忠明がわがことの如《ごと》く躍起になり、弁護につとめる。「でも、第二作ともなればもう大丈夫でしょう」

「勿論《もちろん》です」木内典子が背をしゃんと伸ばして全員を見まわした。「第一作めのあの『曲水宴』だって、わたし、失敗だとは思いません」

「まあ、ぼくは見てないから」貶《けな》せないのが残念だと言いたげに、ワイングラスの底を覗《のぞ》きこんだままで鉦和博がつぶやいた。

「そりゃもう、第二作は成功にきまってますわ」立原絵里がはしゃぐ。「早く見たいわ。早く作っていただきたいですわ。ねえ」同窓生たちに同意を求めた。

「わたし、『曲水宴』だって大感激で、二度見ましたわ」牧野寛子がおだやかにそう言って立ちあがった。自分に不利な話題なので席をはずすのかな、と、おれは思った。

食事が終りに近づいていたのだった。木内典子も立ちあがり、牧野寛子とともに皿を片づけて厨房へ運びはじめた。

立原絵里だけは手伝わず、木内典子がいないのをさいわい、話をくり返した。「早く見たいわ。だってもう、脚本はできているんでしょう。そううかがったわ」

「ええ。もちろん。ただ、『曲水宴』の時の借金がまだ残っていますから」

話がそこまできたのではしかたがないというように彌生夫人はいったん溜息《ためいき》をつき、笑いながら言った。「じゃあ絵里さん。お母さまにお願いして、映画の資金を出していただいたら」

もちろん、その話になることを立原絵里も五月未亡人も望んでいるのだった。しかし、さすがに五月未亡人はとぼけて、木内文麿氏の反応をうかがった。「あら。わたしはまた木内さんの方から出資があるのだとばかり思っていましたわ」

「それはまあ、出してもいいのですがね」木内氏は苦笑した。

牧野寛子と木内典子が戻ってきた。

「出資なさるのですか」鍾和博がまん丸く見ひらいた詰問《きつもん》する眼を社長に向けた。映画のことだ、咄嗟《とっさ》にそう悟った木内典子が顔をこわばらせ、腰をおろした。牧野寛子だけが皿を運んで厨房へ、逃げるように戻った。

「いかんかね」木内氏はにやにやしたままで言う。「事業としてではなく、わたしの道楽としてだ。もちろん画伯にしてみれば道楽のつもりはないだろうが」

「でも、前の清算が終ってないんでしょう。その繰り越しの借入金は、いったいどれくらいあるんですか」非難する眼をこちらに向けて、鍾和博がまた訊問《じんもん》する。

立ち入り過ぎの鍾に典子嬢がちょっときびしい眼を向けたが、ライバルを否定することにけんめいの鍟には通じない。

「まあ、そんなものは知れてるんだから」鍟の反対で、出資したくてたまらぬ五月未亡人は内心ほくそ笑みながらも隣席の鍟を静めようとした。

「しかし」鍟は納得しない。

「鍟さん」強い声で鍟をさえぎった木内典子は、ちょっとぎくりとした様子の彼におだやかに訊ねる。「コーヒーにしますか」

「はい。はい」自分にだけ訊ねられたことがひどく嬉《うれ》しいらしく、鍟はたちまちやにさがった。

「皆さんは」立ちあがり、木内典子が全員に訊ねる。「コーヒーですか。それとも、もっとお酒、お飲みになる」

「わたしはもう少し飲むよ」

「ぼくも、これをいただきます」

「ぼくもだ」

男たち全員が酒を飲み続けると知り、鍟和博は非常に不本意な表情をした。典子嬢の作戦勝ちだった。彼女は鍟の発言を封じると同時に、彼を早く帰らせようとしたのである。女性はすべてコーヒーを注文した。

典子嬢にコーヒーを淹《い》れるため厨房に去ったが、立原絵里はそのままで話に加わり続ける。

「じゃあ、『曲水宴』の赤字は木内のおじさまが出しておあげになって、新しい作品の製作費はお母さんが出してさしあげればいいのよ」

「なんて勝手なことを」さすがに五月未亡人が娘をたしなめた。

「冗談みたいにして言いたいことをおっしゃれるなんて、とくなかたね」彌生夫人も笑いながら言った。

「だって、わたしがいちばん不利なんですもの」

「不利というと」やや顔をこわばらせ、木内文麿氏が軽く訊ねた。

「浜口先生は、牧野さんがいちばんお好きで、その次が典子さんなんですもの。でも寛子さんちはお金持ちじゃないし、今のところいちばん有利なのは典子さんでしょう。だとすると」ライバルふたりが戻らぬうちにと、立原絵里はあわただしい舌足らずの口調で話を一気に早めようとした。

「とっ、とっ、とっ、と」木内文麿氏は唇《くちびる》を尖《とが》らせ、ふざけた様子でずっこけて見せた。「なんのお話ですかな」

「あらあ」

鍾和博はやっと話の先が見えてきた様子で眼《め》を丸くした。こちらに鋭い眼を向けたものの、何か言える立場ではないことくらいはわかるらしく、悔しげに眼を伏せる。

「あのう、差し出がましいようだけどね立原くん。君はほかのお嬢さんたちの気持を無視して喋《しゃべ》っているよ」工藤忠明は同意を求めてこちらに顔を向けた。「なあ。そうだろ」

「そうだし、ぼくの気持も無視されているみたいだな」

「いいえ。いいえ」注意されてかえってむきになり、立原絵里は強く身をゆすった。「三人とも浜口先生に夢中です。ぜったい、間違いなんてこと、ありません。浜口先生の気持だってわかってます」

「まあ絵里さん。あなたそれ、愛の告白をなさっているのよ。ご自分でおわかりになっているの」彌生夫人はびっくりした声でそう言った。

まったくその通りだ。立原絵里はすでに酔ってピンク色だった顔をたちまちまっ赤にした。俯《うつむ》いたその様子は、まんざら可愛くなくもなかった。

やってきた早早思いがけなく、おれにとってはあまり進んでほしくなかった話が酔った立原絵里によって急激に進行してしまった。それ以前にもうひとつ、鍾和博が触媒の役を果して反応を加速させたせいもある。特に立原絵里の感情を触発してしまった。お前のせいだぞ、というように鉦を睨みつけてやったが、そんなことなど理解の外の鉦は、何を勘違いしたかあべこべに睨み返してきた。

木内典子と牧野寛子がコーヒーを運んできた。全員、沈黙したままであり、典子嬢寛子嬢にも何やらあったらしいことが伝わって少し気まずい雰囲気となる。鉦和博が何か言うのではないかとおれは心配した。会社のセミナーなどで自己主張の訓練を受けてきた人間は話がとぎれたこういう機会を逃がさず、必ず何か言おうとするものである。

案の定だ。彼はわざとらしくくすくす笑いをして見せ、さすがに半ばはひとりごとを装って言った。「しかしまあ、ほかのかたはともかく、典子さんだけは、芸術家の奥様には不向きじゃないかと思いますがねえ」

この馬鹿《ばか》が。じゃあ手前《てめえ》が名乗りをあげるつもりか。命知らずめ。おれは心で罵声《ばせい》をあげた。

話がそこまであけすけになっていたと知って典子嬢の眉《まゆ》がたちまちけわしくなった。牧野寛子も眼を丸くして全員を見まわした。

木内典子は鉦に向きなおり、叱責《しっせき》の口調で言った。「鉦さん。あなた何をおっしゃっているの」

「鉦さん」ほとんど同時に彌生夫人も鋭く言った。「あなた、この場には飛入りなんだってこと、お忘れにならないでね」たとえ座興の話であっても娘の結婚などという重大事に使用人から口出しされたという怒りがその口調にこもっていた。

「どうもこれは、いらぬ差し出口を」鉦はたちまちしょげ返った。

そのしょげ返りかたが彼の身分という本質的立場をまざまざとあらわしていて、ひどくみじめだったため、おれはいささか鉦に同情した。この男、立身出世のためだけでなく、本当に木内典子が好きなんだなあ。だからどうしようもなく言わずにはいられなかったんだ。

しかし木内典子は彼を許していなかった。寛大な木内文麿氏もまた、ありありと不愉快げな表情を見せていた。

「鉦君。そろそろ帰らないといかんのじゃないか」

「終電車が出る時間ですよ」

社長と恋人から帰りをせかされ、鉦和博はなんとも情ない表情になった。彼は腕時計を見て「まあ、もう少しは」とつぶやいた。誰もが黙ったままであり、お前がいる限り内輪の話ができないという顔つきをしているのでしかたなく、「それじゃ、これをいただいてから」と、鉦はしぶしぶコーヒー・カップをとった。

第六章 継

木内典子が電話で呼んだためタクシーがやってきた。鉦和博は否応《いやおう》なしにロートレック荘から引きあげねばならなくなったが、それでも中熊沢発東京行の最終電車ぎりぎりに間にあう時間だったのである。鉦がいなくなるなりロートレック荘では、当然のことながら鉦和博というあくの強い男のことが話題になる。

「いったいあの男、あれ以上ここに粘っていて、終電に間にあわなかったらどうするつもりだったんでしょうね」

そう言った工藤忠明に、くすくす笑いながら木内文麿氏は答えた。「なに。以前いちど泊めてやったことがあるんですよ」

「まあ厚かましい。それを期待したんですねあのひと」五月未亡人が大声を出した。

「いったい自分を何だと思ってるのかしら」

「いちばん偉いと思っていますよ」おれも笑いながら言った。「自分の学歴がいちばん高く、自分がいちばん好男子で、それから」おれはうなずいた。「自分がいちばん背が高いともね」

「まさかとは思うが、そんなことを思いかねんやつだな」

「ぼくの考えでは、彼は典子さんが泊っていけとすすめてくれるのを期待していたんだと思うね」

ほかのふたりの令嬢とともに笑って聞いていた典子嬢がびっくりしておれを見た。

「まあっ。それはどうしてですか」

「あなたの博愛主義に甘えようとしたんでしょう。それに彼はあなたが自分を愛してくれていると思っています」

「まあっ。冤罪《えんざい》です」木内典子は立ちあがってそう言った。

冤罪という言いかたがおかしくて全員が笑ったが、典子嬢は笑わない。「それにわたし、博愛主義なんかじゃありません」

「あなたがお夕食に招待したのがいけないのよ」彌生夫人が非難するような眼を娘に向けた。

「それは、夕食時にやってくる人の方がいけないんです」

「ほらね。こうなんですよ」彌生夫人が一同に訴えかける。「心の中では無作法を怒らずにはいられないような相手にでも、自分の礼儀正しさだけは見せつけずにいられないんだから。そんな相手はね、そんなことしても何も感じないの。あなたが好意を持っていると誤解するだけなの」

「まあまあ。そこが典子のいいところなんだから」木内文麿氏が娘をかばった。

「でもそれは、お気をつけにならないと」柄《がら》にもなく五月未亡人が典子嬢に説教じみたことを言いはじめた。「ほどほどになさらないとつけこまれますし、あなたの値打ちを下げることにもなりますよ。ものごとに見さかいがなくて厚かましいひとが多いですからね、近ごろは」

他人の娘よりも自分の娘に気をつけろ、心でおれはそう毒づいた。

「でもわたしは間違ったことをしているとは思いません」きっぱりとそう言い切った木内典子の眼に涙がふくれあがる。

「そりゃまあ、そうでしょうけど」五月未亡人は典子嬢の涙に少し驚いたようだ。この気の強さは立原絵里にないものである。

木内典子は立ちあがり、しゃくりあげながら食卓を片づけはじめた。牧野寛子が手伝って、ふたりは厨房《ちゅうぼう》に去る。

「強情なんだから」彌生夫人がつぶやく。

「あんなのって、疲れるみたい」立原絵里が揶揄《やゆ》するように言った。

むっとした様子の彌生夫人は、わざと大きくうなずいて言う。「ほんとほんと。典子と絵里さんの、ちょうど中間くらいだとよろしいのにね」

これはずいぶん痛烈だった。自分も何か手伝わなければと気にはしていたらしい立原絵里が、さすがに立ちあがった。「あら。わたしだってあと片づけくらいしますわよ」食器を重ねて厨房へ運び去る。

「たまにはあれくらい、言ってくださった方が。ほほほほほ」五月未亡人がぎこちなく笑って見せた。「どうも気のつかない子で。言ってやれば素直に何でもするんですが」

自分だって気がつかないくせに、と言いたげに彌生夫人は立ちあがり、食卓を片づけはじめる。五月未亡人もしぶしぶ手伝いはじめた。

「ではわれわれ男性は、テラスへ出て、飲み続けますかな」木内文麿氏がグラスを手にして立ちあがった。

「女性の品定めをなさるんでしょ」彌生夫人が夫を睨《にら》んで言う。

「いたしません」工藤忠明がおどけて断言した。

われわれはテラスに出た。さっそく女性の品定めが始まった。

「立原絵里はどうもいけませんなあ」かぶりを振りながら工藤忠明が教え子を批判した。「よく考えないでものを言う。だいたい、おしゃべりだ」

「いや。なかなか可愛《かわい》いよ」

「つまりは、いちばん女性的ということになりますかな」木内文麿氏は中熊沢銀座の灯《ひ》を眺《なが》めながら言った。「本来はあれが女性の可愛さというやつですからね」

本来は、などという言い方をする以上、立原絵里に対してあまり肯定的ではないようである。文麿氏としては当然のことながら、わが娘を理想としているのだろう。

「もちろん、なんといっても典子さんがピカ一です」

「そうだ」工藤忠明も同調する。

文麿氏はさすがに嬉しさを隠せないようだった。「なにしろ正義の味方なもので、ときどきわたしの敵にまわったりするから困ります」

その典子嬢がガラス戸を開けてテラスにあらわれた。男たちはなに気ないふりで彼女に注目する。

「皆さん、お酒のおかわり、お持ちしましょうか」

「お願いします」

グラスをトレイにのせながら、彼女は言った。「錏さんから電話がありましたわ。最終電車に乗り遅れたんですって」

「駅から電話してきたんですか」おれは驚いて訊《たず》ねた。

「おかしいな。あの時間なら、充分間にあった筈《はず》だが」

「そうです」

「で、どうしたね」にやにやしながら木内氏が訊《き》く。「泊めてくれと言ったのかい」

「そうおっしゃりたいご様子でしたけど、こんどはわたし、黙ってましたの。また好意を持っていると思われたら大変ですもの」

さっき皆から言われたことをまだ根に持っているようだった。

「どこまで厚かましい奴《やつ》だ」工藤忠明が顔を歪《ゆが》めた。「わざと乗り遅れて、典子さんに甘えようとしたに決っている」

「お母さんたちもそういうご意見でした」笑顔も見せず、むしろ不機嫌《ふきげん》に木内典子はそう言った。「わたしが甘いから、つけ込まれているんですって」

「それで、どうすると言ってました。タクシーで東京まで帰ると言っていましたか」

「いいえ。亀屋《かめや》旅館に泊るとおっしゃいました」そう言って木内典子は屋内に戻った。

「この季節、亀屋旅館に空室などありませんよ」木内氏が苦笑して言う。「それくらい、鉦君だって知っている筈だが」

亀屋旅館は古今の文豪が長期逗留《とうりゅう》したことで有名な古いホテルである。

「また電話してくるぞ。空室がなかったと言って」あまりのことに怒る気も起らず、おれはげらげら笑いながら言った。

「あれはいったい、なんて奴だ」工藤忠明はそう言ってから、気がついてゆっくりとかぶりを振った。「木内さんの部下なのに悪口を言っちゃいけないんだが」

「なに。いいんですよ」文麿氏が笑う。「人間は使いようですからね。あれでなかなか役には立つんですよ」

「そりゃ、役には立つでしょう。だからこそ部分的にもせよ木内さんの秘書的な役をさせておられるわけでしょうが、あの男にしてみれば木内さんに認められていると思うものだからつい、養子に迎えてもらい、典子嬢と夫婦になり、重役にとり立てられるというロマンを描いてしまうんです」

「でもね、あの男が典子さんを思う気持は、あながち出世欲だけではなくて、真剣だと思うよ」おれはそう言った。

「そうですか」木内文麿氏は語尾に疑問符をつけた。

「ああ。それはそうかもしれんなあ」工藤忠明がなかば同意した。「だから浜口君と典子さんの間が進展することを恐れているのかもしれない。あの非常識さは、そうとでも考えなければ到底おとなの納得できるものじゃないからね」

「そう考えれば可《か》哀《わい》そうな男でもあるわけだが」

「絵里さんとなら似合いかもしれない」

「なんてことを」

　おれたちはまた笑い、木内文麿氏も吹き出した。

「五月未亡人が許しませんよ。いや。絵里さんだって嫌《きら》うでしょう。彼女も有名人志向ですからな」

「芸術家はどうしても名前で作品を売るところがありますから、有名人の一種とされてもしかたのないところですが、その奥さんとなると大変ですよ。絵里さんではつとまらないんじゃないかな。さっき銈君があんなことを言いましたが、むしろ典子さんのようなしっかりしたひとでないと」

「これは、娘に確認したわけではないのですが」ひどく言いにくそうに木内文麿氏は言った。「わたしの観察では、典子はどうやら浜口さんが好きなようです」

　おれの胸はずきんと痛んだ。しばしの沈黙があった。

　やがて、文麿氏は弁解するように言った。「なにしろもう、二十四ですからな。親としては、そろそろ考えてやりませんと」眼下の灯を眺める様子の文麿氏の表情に、娘を思う情愛と気遣いが浮かんでいた。

「お待たせしました」酒のグラスをトレイにのせてあらわれたのは牧野寛子だった。

「その後、鉦から電話はありませんか」木内氏がおどけた口調で訊ねた。

「ないようです」くすくす笑って、牧野寛子はそう答えた。

「あちらでも、彼の噂《うわさ》に花が咲いているようですね」

工藤忠明が訊くと彼女は身をふたつ折りにしてきゅっきゅっと笑いながらうなずいた。「ええ。それはもう、あのう、ひどいひどいことを」

「彼にも話題作りの功はあったんだから、ここへ来たことにも意義があったわけだ」

「しかし、彼、どうする気だろうね。タクシーで帰るのかな」

「だいたい、どうして車で来なかったんだろう」

「鉦さん、運転はなさらないそうです」牧野寛子はそう言って室内に戻った。

「彼は教習所の教官と喧嘩《けんか》して以来、運転をあきらめたんです」木内氏が説明した。

「どうせ運転手をかかえる身分になるのだからと同僚にいきまいていたそうです」

ありそうなことだと思い、おれたちは黙ってうなずいた。

「ところで、絵里さんによれば、画伯のいちばんのお気に入りは、今の、牧野寛子さんだそうですが」

おれは思わず、からだを凝固させてしまった。いよいよ本題に入るのかな。それにしては工藤忠明だっているし、木内文麿氏にしてはあけすけなことだ。

「あっ。これはまた、立ち入ったことをうかがってしまって。わたしともあろうものが」文麿氏は大あわてで壁を塗る手つきをした。「いささか酔っておる。鍾のことをとやかく言えませんな。いやまあ、父親というのは馬鹿《ばか》なものでして。お笑いくださ い」

「笑うなどと、そんな」

ひどく気まずい沈黙が訪れそうな予感があったのだろう。木内文麿氏は「酔っておる。酔っておる」と連発しながら立ちあがった。「実は明日の朝五時に、ロスから電話で、今度の話の首尾に関しての報告が入りますのでね。頭を明晰《めいせき》にしておく必要がありますからわたしはこれで失礼しますよ。皆さんはどうぞごゆっくり」

おれたちは立ちあがった。

「おやすみなさい」

「いい報告が入ることを祈ります」

「ありがとう。ありがとう。では、おやすみなさい」

「どうするつもりだい」木内文麿氏がいなくなるなり工藤忠明が身をのり出した。

「木内さん、決断を迫ってるんだよ」

「わかってるさ。しかし、もしも牧野寛子がぼくを愛してくれているとしたら、と、そう考えるとね。ずいぶんうぬぼれているようだが、万が一にも彼女を悲しませるようなことはしたくない。もちろん彼女とはまだ、そんな仲でもなければ、ことばで愛を確認しあったことさえないんだが」

「まあ、君の問題なんだから」

おれは呻《うめ》いた。「難しい問題だな。しかし決断しなきゃいけない」

「そりゃそうだ」

「風が出てきたな。部屋に入ろうか」

おれたちは立ちあがり、食堂に入った。あと片づけが終ったらしく、女性五人が食卓を囲んで思い思いの飲みものを前に、何やら談笑していた。単なる光景としては自分もその中に加わりたいような絵柄的魅力を持っているのだが、このメンバーを相手にしてさしさわりなく何か話さなければならないと考えると鬱陶《うっとう》しい。おれたちを見るなり牧野寛子と木内典子がうなずきあい、そろそろおひらきの時間だからなどと言いながら立ちあがったのをさいわい、われわれは就寝の挨拶《あいさつ》をして階段に向かった。

「あらあ。もう寝ちゃうんですかあ」立原絵里だけは、せっかく男性があらわれたのにという表情で、もっと話したい様子だ。

「まあまあ絵里さん。明日もあさってもあることだし」笑いながら彌生夫人が言った。

「そうですとも。やはり大切なお話はあとでゆっくり、それも一対一でね」意味ありげに五月未亡人も言う。

全員がなごやかに笑い、大食堂をそれぞれの方角へゆっくりと散った。

第七章　彩

　おれはなかなか寝つけなかった。牧野寛子の可愛い肢体《したい》が脳裡《のうり》によみがえり、悩ましくてならない。彼女におれへの気持を確かめなければならないのだが、ふたりきりになれる機会があるだろうか。たいてい木内典子や立原絵里が一緒だから、昼間、そのような機会はないのではないか。木内文麿氏からは遠まわしに決断を促された。牧野寛子に会わねばならない。

　ナイト・スタンドの明りで時計を見ると午前一時だ。こんな時間に女性の部屋を訪ねるなど非常識であり、無礼である。しかし話の重要さと切迫した事態がそんな常識を消し去りはしまいか。決していやしい下ごころによる訪問ではないのだから。

　だが、そのいやしい下ごころによる訪問だと勘違いされて、もし彼女が部屋へ入れてくれなかったとしたらどうなる。永遠にあれはいやしい下ごころによる訪問であったと勘違いされたままになるぞ。いやいや。彼女はそんな馬鹿ではあるまい。昨日の午後からのいきさつで、おれが何をしに来たかくらいはわかる筈だ。部屋に入れてくれるかくれないかによって彼女の愛情を確かめることもできる。

物音がしなくなって、同宿の者やあるじ夫妻、すべてが寝静まったと見てとり、おれはそっと起きあがった。パジャマの上にガウンを羽織り、音を立てぬようガラス戸を開け、バルコニーに出た。夜風はやや湿っていた。針葉樹のきびしい香りがした。ガラス戸を閉めておれはバルコニーを左手へと進んだ。工藤忠明の部屋にはカーテンが引かれていて明りは消えていた。バルコニーのかどを左に折れ、牧野寛子の部屋の外に立った。閉ざされたカーテンの隙間《すきま》からナイト・スタンドのものらしいほのかな明りが漏れていた。まだ起きていてくれるとありがたいのだが。そう思いながらおれはガラスを中指の尖《とが》らせた背でこつこつと叩《たた》いた。

やはり眠れなかったのだろう。すぐに天井灯が点《つ》き、カーテンが細めに開いた。牧野寛子には少しも驚いた様子がなく、逆にこちらが驚いたことには、カーテンを開く前からにこにこ笑っていたようだった。そしてためらうことなく、あいかわらずにこにこ笑いながらガラス戸を開けてくれたのだった。彼女はネグリジェ姿だった。

「入るよ」おれは真顔で念を押した。彼女のあまりの無警戒さが、かえっておれをためらわせたのだった。

「ええ。早く」彼女は嬉《うれ》しげにうなずいた。来るか来ないかわからないおれの来訪を心待ちにしていてくれたのだろうか。胸の中でぐいと何センチか何かが上昇し、彼女へのいとしさがつのった。

「来ると思ってたの」たったひとつしかない椅子《いす》に腰掛けて、おれは訊ねた。

「いいえ。まさか、来るなんて」きゅっきゅっと笑いながら彼女は答え、ガウンを羽織ってベッドに腰掛けた。「でも、ノックの音がしたとたんにあなただと思って」

「こんな夜なのに、どうしようかとだいぶ迷ったんだけど」

「来てくれて、嬉しいわ」無邪気な丸い笑顔が光り輝くようだ。

「あの、何か飲むものない」

「つめたいお水しかないわ」

「お水でいいよ」のどがからからだった。

薄いピンクのネグリジェに濃いピンクのガウンを羽織った牧野寛子が、水を飲むおれを心から嬉しげに見つめていた。

「木内文麿氏から、典子さんのことでそれとなく話があった」おれはゆっくりとそういってから牧野寛子の反応をうかがった。

「わたしも、今日はつらかったわ。絵里さんったら、映画のお金のことばかりおっしゃるんだもの」

おれは彼女の顔をじっと見つめた。「つらかったの」

「だって、わたしのおうちは貧乏で、映画のお金なんかとても出してあげられないんですもの」そう言いながらも彼女はまだ笑顔のままだ。おれを信頼しきっている顔だった。

ごく、と、おれは唾《つば》をのみこんだ。「それじゃ、あのう、ぼくと結婚することがいやじゃないんだね」

「そんなこと、わかってるじゃないの」怪訝《けげん》そうに牧野寛子は言った。「わたし、そんなこととっくにわかってもらっていると思っていたわ」

「ま、それはその、半信半疑でわかっていたわけだけど」からだが熱くなってきた。

「それじゃ君もその、ぼくの気持は」

「勿論《もちろん》わかっていたけど」心配そうに彼女はおれの表情をうかがった。「違ったの」

「違うわけないよ。だったらこんなま夜中に来たりしないさ」

「でも、わたしと結婚したら、あなたは映画が作れないわ」牧野寛子ははじめて悲しげな顔をした。

「君が結婚してくれるのなら」おれは決断した。「それでいいさ」

「映画はどうするの」

「きっと、なんとかなるよ」おれは彼女の魅力に抗しかねて立ちあがり、彼女の傍《そば》へいってベッドに腰をおろした。

牧野寛子は笑顔に戻り、いそいそとベッドの端に寄っておれに場所を譲ってくれた。そんな幸福そうな彼女の顔を見たのははじめてだった。「嬉しいわ」

既成事実を作ってしまえばいい。おれはそう思った。牧野寛子との結婚を誰にも反対できず、自分にも反対できなくするためだ。おれは彼女のからだを抱きしめた。柔らかな乳房の感触があり、おれは陶然とした。キスをするとのどの奥できゅっ、というような声を小さく発し、彼女は抱き返してきた。というより、母性的におれを抱きすくめたといった方がいいだろう。ふくよかなからだだった。おれはそのままベッドに倒れ伏そうとして腕に力をこめた。

「するの」と、彼女は訊《たず》ねた。笑みは残したままだが、真摯《しんし》な眼《め》でおれを見つめていた。

おれはうなずいた。彼女は自分から仰臥《ぎょうが》してネグリジェのボタンをはずしはじめた。

荒あらしくもなれず、かといってさほど洗練されているともいえないおれとの性行為が短時間に終わったあと、あきらかに破瓜《はか》の苦痛があった筈《はず》なのに牧野寛子は笑顔のままで下着を身につけながらおれをかえりみてやさしく言った。

「またしてね」

聞きようでは海千山千の娼婦《しょうふ》のことばとも思えるそんな無邪気さにおれは驚き、ますます彼女が好きになった。ひたすらおれを愛してくれているのだという喜びに、おれは浸った。

シーツに血がついていたのでおれが気にすると、彼女はすぐバスルームに持っていってその部分だけ揉《も》み洗いをした。「すぐに乾くわ」

それからさらに二十分ほどその部屋にいただろうか。愛情の確認以外にも、これからのことなど何やかやと語りあい、やがて、あまり長居をしていると勘の鋭い隣室の木内典子が気づかぬでもないと悟って、おれはまたバルコニーから自分の部屋に戻った。

だが、ふたたび眠れなくなった。性行為の興奮が余熱となって残っていたためもあろうが、将来の家庭のこと、映画のことも含めた先ざきの仕事のことなどを考えはじめてしまい、眼が冴《さ》えてしまったのだった。牧野寛子はあれからすぐに眠れただろうか。彼女のことだ。おれの愛を確かめ、すっかり安心してぐっすり眠っているんだろうな。

ベッド上を転転とするうち一時間経《た》ち、二時間経ち、やがてかすかに電話のベルが聞こえてきた。五時だな、と、おれは思った。木内夫妻の寝室へ、ロスから報告の電話がかかっているのであろう。

ひどく空腹でもあり、考え疲れた末こんどはそのために眠れなくなってしまった。客としての行儀には欠けるが厨房《ちゅうぼう》へ行って冷蔵庫をあさり、ジュースかミルクでも一杯盗み飲みさせてもらおうかと思っていると、回廊を重い足音が近づいてきて、その誰かはドアのかなたの階段をゆっくりとおりていく気配だった。

落ちついた足音から判断して木内文麿氏に違いなかった。ロスからの報告を受け、そのあと眠れなくなったか、またはのどが乾いたかであろう。どちらにしろ飲物の相伴にはあずかれそうだ。おれは起きあがり、Tシャツを着て部屋を出た。

階段をおりていくと、食堂には誰もいなかった。広い食堂を横切り、おれは厨房に入った。厨房中央の大きな配膳台《はいぜんだい》に向かい、文麿氏がコーヒーを淹《い》れようとしていた。

「これは、お早いですな」文麿氏はおれを見て少し驚き、話し相手ができたのを喜ぶ様子で破顔した。「コーヒーをいかがですか」

「いただきます」と、おれは言った。「さっき、電話のベルが聞こえましたが」

「あれで起きられたのですか。どうも旧式の電話で、ベルの音が大きくて申しわけありません」

「ロスからの報告は、吉報でしたか」

「はい。吉報でした」

コーヒーができたので、おれたちはそれぞれのカップを手にして食堂へ戻り、大テーブルに向かいあって腰をおろした。せっかくいい知らせがあったばかりだ。おれの決意を語るのはあとでもいいだろう。コーヒーをひと口飲み、おれは文麿氏がロスからの吉報について語り出すのを待った。

うまそうにコーヒーをひと口飲んだ木内氏がカップを受け皿に置き、口を開こうとしたとき、二階東側の回廊の彼方《かなた》でたてつづけに二発、銃声がした。

第八章　破

「何でしょうな」木内文磨氏が立ちあがって言った。「まさか銃声じゃあ」

おれは二階の東側を指した。「あっちでしたようです」階段へと走った。

「まさか銃声じゃあ」ふたたびそう言いながら木内氏はおれのうしろから階段を駆《か》けあがってきた。

南の回廊に駈けあがったとき、おれの部屋のすぐ隣りのドアを開け、パジャマ姿の工藤忠明が出てきた。「どうした。でかい音がしただろう」

「わからん。あれ、なんの音だと思う」

「銃声みたいな音だ。それからガラスの割れる音もしたぞ。寝ていて聞いたがこっちの方でした」彼は東側の回廊に面して並んでいるふたつの部屋のドアを指した。

「まさか娘の部屋じゃあ」木内文磨氏は蒼白《そうはく》だった。

男三人が東の回廊に走った。おれと工藤忠明は牧野寛子の部屋のドアを叩き、木内氏はその前を通り越して娘の部屋をノックした。

「牧野さん。牧野さん」

木内典子の部屋のドアが開いた。彼女はブルーのパジャマ姿で、眼を見ひらき、蒼《あお》い顔をしていた。

「今の音は、お前の部屋じゃなかったのか」ややほっとした様子で文麿氏が娘に訊ねる。

ものも言えぬほどおびえた木内典子が、黙って牧野寛子の部屋を指した。

ノブをまわしてもドアは開かない。「ロックしている」

「この部屋からバルコニーへ出ましょう」木内氏がそう言って娘の部屋に入って行き、おれたちも続いた。

ガラス戸を開け、バルコニーに出た。外はすでに明るい。

牧野寛子の部屋のガラス戸は、締めきられた四枚のうち中央左側の戸のガラスが割れていて、その部分のカーテンはなかば開かれていた。部屋の中に、足をこちらに向けて倒れている牧野寛子のネグリジェ姿が見えた。ネグリジェは血に染まっていた。頭の中が熱くなり、おれは夢中で割れめの周辺のガラスを手の甲を使って室内へ叩き落し、ガラスが突き刺さるのもかまわず手を入れ、ガラス戸の締め金を開けた。おれだけが牧野寛子への愛と気づかいに衝《つ》き動かされて室内に踏みこんでいった。

「典子。典子」

あとの三人は悲劇の予感にふるえているらしく、バルコニーで立ちすくんだままだった。

牧野寛子はすでに死者の顔色をしていた。なんの表情もなく、眼は閉じていた。腹部にふたつの穴があいていた。血はまだ流れ続けていた。バルコニーからガラス越しに撃たれたことはあきらかだった。

「死んだ」と、おれは言った。

死者の顔を見つめたまま、おれはなかなか信じられなかった。数時間前に愛しあった肉体が、今は意志も感情もなく物体としてころがっていた。壁にかかっている額に入ったロートレックのポスターは「ラ・ルヴュ・ブランシュ」で、モデルの女性「ミシア」が無表情に死者を見おろしていた。

木内典子が泣き始めた。

「あまり、手でさわらない方がいい」遠慮勝ちに、工藤忠明がバルコニーからそう声をかけてきた。

そうなのだ。これは犯罪事件だ。警察の手に委《ゆだ》ねられるべき殺人事件なのだった。

おれはゆっくりと立ちあがった。何に触れることもなく、おれはバルコニーへ戻った。ガラス戸もそのままにしておいた。心を中心に全身へ虚脱が拡《ひろ》がりつつあった。部屋に戻りましょう。木内文麿氏がそう言ったのも放心状態で聞いた。泣き続ける娘の肩を抱いて木内氏が彼女の部屋に戻り、おれたちもそのあとから室内に戻った。木内典子の部屋に、他の全員が集まっていた。

「恐らく、盗賊によるものだろうが」木内文麿氏は全員に説明した。「牧野寛子さんが殺された。バルコニーから、拳銃《けんじゅう》で撃たれて」

ひゅう、と、五月未亡人が大きく息を吸いこんだ。

立原絵里はわあっと泣いて木内典子に駈け寄った。ふたりは抱きあい、しばらく声をあげて泣き続けた。

「ああ」うめき声を出して彌生夫人は娘のベッドに腰をおろし、額を押さえた。軽い貧血を起したようだった。

木内典子が立原絵里を勢いよく押しのけ、茫然《ぼうぜん》としているわれわれの方に屹《きっ》とした眼を向けた。「すぐ警察に電話してください。わたし、犯人を見たんです。ピストルの音がしたあとすぐ、ここから外を見たら、犯人が逃げて行ったんです」彼女はガラス戸が開け放されたままのバルコニーを差して叫ぶように言った。「あの森の中へ」

第九章 迂

県警からやってきた渡辺という警部は、五十歳になったかならぬかに見える落ちついた物腰の、しかし場合によっては底知れぬ狡猾《こうかつ》さを剝《む》き出しにしそうな凄《すご》みも秘めている人物だった。彼は人間の憎悪《ぞうお》を知り尽した眼で人間を見た。おれという侏儒《しゅじゅ》に対しても同様の眼を向けたが、それはつまり他の人間に向けるよりも厳しい眼を向けたということだ。しかしその視線には好奇心も悪意もなかったので、おれはそれが警察官としての正確な判断力による正当な態度なのだろうと諒解《りょうかい》することにした。そしてその冷徹さが、邪念によるものではないだけに、おれには尚《なお》さら不気味だった。

午前十時だった。殺された牧野寛子を除いて、ロートレック荘に滞在中の全員が食堂に集められた。すでに現場検証も終り、遺体も運び出されていた。被害者の家には警察から事務的に連絡がなされた。誰も彼もが牧野寛子の両親への最初の報告を尻込《しりご》みし、結果、全員が警察からの連絡を望んだのだった。そのあと木内文麿氏が電話をしたが、両親はすでに熊沢へ発《た》ったあとらしく、応答はなかったという。渡辺警部の話では牧野寛子の両親は所轄《しょかつ》署へ直行するということであった。

渡辺警部は南向きの、テラスへのガラス戸を背にして立っていた。母娘《おやこ》ふた組女性四人は厨房に近い側に、くっつきあうようにして腰かけ、おれたちはその反対側に、いつものように並んでいた。渡辺警部の正面には、まるで被告のように小さくなって木内文麿氏がいた。

「今日、お帰りの予定のかたはおられませんね」渡辺警部がまず、そう念を押した。

殺人が起った邸《やしき》などからは一刻も早く帰りたい様子の五月未亡人と立原絵里が顔を見あわせ、ちょっともじもじした。

「ご滞在の予定であればひとつ、しばらくはお帰りにならずに捜査にご協力ください。亡《な》くなった牧野寛子さんのためにも、早く犯人を逮捕しなければなりません」有無を言わせずそう言って渡辺警部は大きくうなずき、間を置かずに質問した。「ところで、鉦和博なる人物についてうかがいたいのですが」

背を丸めていた木内文麿氏が大きくのけぞった。「鉦がどうかしましたか」

「朝の六時ごろ、人通りのない中熊沢銀座を熊沢駅の方へひとり歩いていくところで、今朝がたの非常警戒に引っかかりました。不審訊問《じんもん》にきちんとした答えができなかったものですから、現在任意同行を求めて、所轄署で取調べ中です」

「鉦は昨日、ここへ来ました」木内氏が昨夜のいきさつを述べた。

「では最後の、駅からの電話以後、何も連絡はなかったのですね」

「その筈《はず》ですが」文麿氏が妻と娘に顔を向けて質《ただ》した。

彌生夫人と木内典子はかぶりを振った。

「なかったそうです」

「銍和博氏の供述によれば、彼はその電話のあと亀屋旅館に行き、満室を理由に宿泊を断わられたそうです。それで、始発まで時間待ちをするつもりで、中熊沢周辺を朝までぶらついていたというのですが、不審訊問を受けた時はすでに始発電車は出たあとであり、だいたいこのような別荘地を夜っぴて徘徊《はいかい》して夜を明かすなど、きちんとした企業の社員としてはいかにも不自然な行動です。彼のこうした行動について、どなたか説明できるかたはおられませんか。銍というひとはそもそもがそういった、突飛な行動をとるひとなのですか」

全員が銍和博への疑惑を深めている筈であった。しかし誰も、何も言わなかった。

彼の雇用主としての責任上、木内文麿氏が何か言わねばならなくなった。咳《せき》ばらいをした。彼は話し出した。「まあ、ふだんは特に変わったところのない、仕事熱心な男なのですが、じつは彼は最近」口ごもった。

銍和博の、わが娘に対する恋情を物語ろうとするに違いなかった。

玄関ロビーにいた東《あずま》という所轄署の若い刑事が入ってきて渡辺警部に言った。「署から電話がかかっております」

「ちょっと失礼」

渡辺警部が去ると、木内典子は父親にきびしい眼《め》を向けて言った。「お父さん。鉦さんがわたしを好きだったなんてこと、警部さんには言わないでください」

「だってお前、それ言わなきゃあ、あいつの馬鹿《ばか》な行動の説明ができないだろうが」

「ほんとに馬鹿なひとよ」彌生夫人は吐き捨てるように言った。

「馬鹿だけど、それ説明しておかないと、あいつ、犯人だと思われてしまうよ」

「たとえ警部さんだろうと誰だろうと、わたしまでがあのひとを好きだったように思われるのは絶対に絶対にいやです」

木内典子らしい潔癖さだな、と、おれは思った。

「誰もそんなこと思やあしませんよ」工藤忠明が苦笑して言った。

「あの鉦という男、ここへ来たんじゃないかな」

全員がおどろいてこちらを見た。「えっ。何しにですか」

「典子さんに会うためですよ」

「古典的色男として、娘の寝室へ忍び込むためですかな」まさか、という表情で木内

ラ・ルヴュ・ブランシュ［91頁参照］
1895年　石版刷りポスター　130×95cm

アンバサドゥールのアリスティード・ブリュアン ［116頁参照］
1892年　石版刷りポスター　150×100cm

文麿氏は言った。「つまり、夜這《よば》い」

「やめてください」木内典子が眼をいからせた。

「いやあ。そんなことやりかねませんなあ。あいつなら」工藤忠明がかぶりを振りながらそう言った。「それに、どうせぶらぶらするなら、ここ以外に来るところないでしょう。まあ、少し遠いけど」

「あのう、典子さんが、逃げて行くうしろ姿を見たって言うその男のひと、錏さんじゃなかったの」全員の疑惑を、ついに立原絵里が口にした。

「ちょっと。絵里さん」さすがに五月未亡人が娘をたしなめる。「ひとを罪に落すようなこと、おっしゃるものじゃありません」

「いや。その話はどうせ、警察の方から出ると思いますよ」今度ばかりはおれも立原絵里の肩を持った。

全員がそれぞれの思いに沈んだ。

錏和博がずっと裏庭にいたとすると、牧野寛子の部屋へ往復するおれの姿を見たかも知れない。錏の供述をおれは恐れた。おれが牧野寛子殺害の容疑者として警察へ連行される可能性も出てきたのだ。胃が重くなった。今渡辺警部が出ている、警察からかかってきた電話とはいったい何だろう。

渡辺警部が戻ってきた。片方の頰《ほお》にいわく言いがたい笑みを浮かべていた。彼は正確にもとの場所に戻って立ち、全員を見まわして言った。「鉦和博氏は、この裏庭に来ていたそうです」

全員が呻《うめ》くような声を出した。ついに来たかと思い、おれはどうしようもなく四肢《しし》がこわばるのを感じた。

「木内さんのお嬢さんが供述なさった、部屋からご覧になったという逃げて行く男の、背広の色といい背恰好といい、すべてが鉦和博氏にあてはまりますので、その点を追及しましたところ、彼はとうとう告白しました。彼の供述によりますと」渡辺警部は大テーブルに近づいてきて、木内文麿氏の正面に腰をおろし、くだけた口調で話しはじめた。「ええと、木内さんのお嬢さんにはご迷惑かもしれませんが、彼はあなたが好きだったそうでして。それから」彼はおれたちの方を見てうなずいた。「どなたかは申しませんでしたが、ライバルと目される男性もお泊りだそうで、ここを辞去したあと、それが気になって気になってならなかったと言っております。で、彼はお嬢さん、つまりあなたに直接お目にかかって、お気持を確かめようとしたんですな」

おう、と、全員が身もだえ気味に呻いた。

「やっぱりか」

「どういうやつだ」

「それでどうしたんです」木内文麿氏は蒼白になった娘を気づかわしげに見ながら警部に訊《たず》ねた。「彼、バルコニーまであがってきたんですか」

渡辺警部は手帳を出した。「さすがに気おくれがして、そこまではできなかったそうですな。裏庭に来たのが深夜の十二時ごろ。誰かがバルコニーからお嬢さんの部屋へ行くのではないかと心配して、見張っているつもりだったそうです」

「馬鹿よ。あのひと完全に馬鹿」五月未亡人が断言した。

「じゃ、当然彼は犯人を見たわけですな」

質問した木内氏に渡辺警部はかぶりを振った。「いや。見なかったと言っています。実際にはそんなにずっといたわけではなく、一時間ほど見張っていて、空腹に気がついて中熊沢銀座に戻り、深夜スナックで軽食をとりながら水割りを五杯飲み、看板で三時ごろ追い出され、またここの裏庭に戻り、しばらく見張っているうちに眠くなってきて、あたりが明るくなってきたため、発見されるといけないと思って森の中に入り、ひと眠りしていたといいます」

「では、わたしの見たひとは」木内典子が怪訝《けげん》そうに訊ねる。「錏さんではなく、やっぱり犯人ですか」

「そこのところ、鍾氏はこう説明しとるのですな。銃声がしたので眼をさました。しばらくは頭がはたらかず、ぼんやりしていたものの、もしや何か事件が起ったのではないかと思い、とび起きて森から裏庭の芝生に駈《か》け出た。バルコニーへの階段の下まで行ってからはじめて、自分がなぜここにいたのかを説明する際の恥かしさにとても耐えられないと気づき、また森へ駈けもどったそうです」渡辺警部はわれわれの方をじろりと見た。「これならお嬢さんがご覧になったのはその際の鍾氏のうしろ姿であったということになるのですが、皆さんはこの供述をどうお思いになりますか」

「不自然ではありますが」誰も返事しないのでしかたなく、という口調で工藤忠明は言った。「鍾和博がそういう子供っぽい行動をした気持もわかるような気がします」

渡辺警部はその返事があきらかに気にくわぬようだった。「そうですかね。まあ、たしかに少年時代には誰でも、そうした馬鹿な、情熱に駆られた行動をするものですが、鍾和博氏はもう二十九歳ですよ」

「つまり、鍾が嘘《うそ》をついているとおっしゃるんですか」木内文麿氏が訊ねた。「彼が犯人かもしれないと」

「やはり容疑者のひとりと、われわれは考えています。彼が犯人でないのなら、彼は真犯人の姿を見ている筈ですからね」渡辺警部はそう言ってから、誰かの反論を封じようとするかのようにすばやくかぶりを振った。「もちろん通り魔的な泥棒《どろぼう》その他の者の犯行という考えを捨てたのではなく、熊沢一帯の聞き込み捜査は続けております」

「鉦君が拳銃《けんじゅう》などを持っている筈もないし、牧野寛子さんを殺す理由もないのですが」

「そこのところをうかがいたいのです」渡辺警部は木内氏を見据《みす》えた。「なぜそうお思いになるんですか」

木内文麿氏は啞然《あぜん》とした。「だって」

警察官との日常感覚の違いを悟った木内氏が絶句してしまったので、渡辺警部はほかの全員を見まわした。「鉦和博氏が拳銃を持っていたことをご存じのかた、彼が牧野寛子さんを殺す理由について心当たりのあるかたはおられませんか」

いるわけがない、と、断言できる確信もなく、一同は沈黙した。

「何か思い出されたかたは、いつでもわたくしにお話しください」それが彼の癖らしく、渡辺警部はほとんど間を置かず次の質問に移った。「ここ何日かの間で、このお邸周辺に不審な挙動の者、あやしげな風体の者、この高級別荘地に似つかわしくない者を見かけたかたはおられませんか」

一同は顔を見あわせた。

「まあ、時期的に、この別荘地にあこがれてやってくる者は多いので、突然思い出せと申しあげても無理かもしれませんが、われわれはリストをつくっております。何人思い出してくださっても結構ですよ」

「ピクニック気分であの北東の森から芝生に入ってきて飲食をはじめたり、夜などもけしからんアベックが入ってきたりします」木内氏が言った。「たいていは、管理人の馬場金造が見つけて追い出しておるようです」

「馬場金造さんからは、ここ数日のそうした連中のことをすべてうかがいました。全部リストに記載し、手配中です。さいわいウィーク・デーだったので、人数はさほど多くありませんでした。皆さんがたからも、直接眼にされた者をご報告願いたいのです」

「別荘人種に反感を持っているひともいるんですよね」立原絵里が話しはじめた。

「だったら、こんなところへ来なきゃいいのに」

「何か不愉快な目にあわれましたか」

「ええ。三、四回」彼女は中熊沢銀座へ買物に行っていいがかりをつけられ、車で邸まで追ってこられたことや、牧野寛子と森を散歩していて取り囲まれそうになり、侮辱のことばを浴びせられたことなど、そしてそれらの多くは若者たちであったその連中の人相や服装や乗っていた車の種類などについて詳しく話しはじめた。

昨日やってきたばかりのおれたちには、話すほどのことは何もなかった。個別の陳述が始まったと見て、木内典子は気をきかせ、コーヒーを淹《い》れに立った。

立原絵里が話し終ると、次いで彌生夫人が、五月未亡人が、そして木内文麿氏がそれぞれ目についた連中のことを述べ、渡辺警部はそれらを丹念にメモした。

木内典子がコーヒーを運んできて、彼女自身が見たおとといの昼間の、庭に侵入してきたアベックのことを話し終えると、コーヒー・カップの触れあう音でやや和やかな雰囲気《ふんいき》となり、渡辺警部も以後は雑談という態度に変わった。

「季節はずれの時季には無人の別荘を狙《ねら》った泥棒が多いんですが、こうしたシーズン中に窃盗を目的とした者が、しかも拳銃を持って別荘に侵入してくるなど、どうも考えられんのですよ」渡辺警部はそう言って木内典子を見た。「お嬢さん。今までにいたずら目的であなたの部屋を探して、深夜バルコニーまであがってきた、というような者はおりませんでしたか」

「二年前、バルコニーで変な音がして怖かったことが一度だけあります。朝になってから見ると、スニーカーの跡がありました」

「お嬢さんは美しいから」渡辺警部は表情も変えず、事実を述べている時の口調でそう言った。「そして今年は美しいお嬢さんが三人も滞在なさっていたわけだから、いたずらを目的とする者に狙われたのかもしれませんなあ」

「あのう、拳銃は見つかったのでしょうか」木内典子はおそるおそる訊ねた。

「凶器はまだ発見されておらず、拳銃の種類も、三二口径という以外に何もわかっておりません」渡辺警部は典子嬢をじっと見つめたままで答えた。「それが何か」

「じゃ、拳銃を持った犯人がまだこの辺にいるかもしれないのですか」

「またこのお邸にやってくるということは考えられませんが、でも、充分警戒はなさっていてください。巡回の警官もふやします」

「物騒なことだ」木内文麿氏がつぶやく。

「犯人は、バルコニーへあがってきて、誰の部屋でもかまわず押し入るつもりだったんですか」工藤忠明が訊ねた。

「なぜ、そう思われますか」質問に対して反対に問い返すというのも渡辺警部の癖であるようだ。

「だって、たいていの部屋は明りが消えているし、カーテンも閉まっている。どこが誰の部屋か、わからないでしょう」

「それは工藤先生、きっと昼間、森からうかがっていたんだと思うわ」と、立原絵里が言った。「いやらしいことをする目的だったとすれば、それが誰だかわからないにしても、どの部屋とどの部屋に若い女性がいるかってことくらいはわかるでしょう」

「それにしたって、戸は中からロックされていて、どうせ入れないよ」

「女性のいる部屋でロックされていない部屋を探すつもりだったんじゃないかな」よけいなことを言わない方がいいということはわかっていても、あまり黙っているのも不自然だから、つい口を出してしまう。「手初めに、階段をあがってすぐの牧野さんの部屋のガラス戸にあたってみた」

「戸をがちゃがちゃさせているところへ、寛子さんが眼をさまして起きてきて、カーテンを開けたのよね。それで賊が驚いて、顔を見られたものだから、ガラス越しに拳銃を発射したんだわ」

「二発もかい」

「そうよ」

「そうかもしれませんな」立原絵里の推理を興味深げに聞いていた渡辺警部が、首をかしげながらもそう言った。「一発は至近距離からガラス越しに、もう一発は倒れた被害者に向けて、ガラスの割れ目から撃っているようです。錏氏も皆さんと同じように、続けさまに二発、聞こえたと言っています」

「なあ典子。お前、鍾君以外に、逃げて行く者の姿を見なかったのかい」文麿氏が娘に訊ねた。

「警部さんや警察のかたに何度も申しあげましたけど、見ませんでした。バルコニーには囲いがあるので、部屋の中からだとバルコニーのすぐ下のあたり、見えないんです」

「典子さんはともかく、森から出てきた鍾さんがどうして賊の姿、見なかったのかしら」立原絵里が、またしても話を鍾に戻してしまった。

「バルコニーなら、囲いの下へしゃがみさえすれば、外からは見えないよ」工藤忠明はそう言ってから、別段しゃがまなくても姿の隠せるおれを、ちょっと気にした。

「地下への階段にひそむこともできるしね」

「あらどうして。鍾さんが森から出てくるなんてこと、賊は知らないのよ。どうしてすぐに逃げないで、そんなところにひそむ必要があるの」

「その通りですな」意味ありげに、渡辺警部はうなずいた。

「しかしそれだと、鍾君が犯人だということになってしまう」工藤忠明は立原絵里に非難の眼《め》を向けてから、渡辺警部の方へ身をのり出した。「拳銃を発射した痕跡《こんせき》が犯人の手や衣服に残るでしょう。あれは何といいましたっけ」

「ああ。硝煙反応ですか」渡辺警部は苦笑した。「あれはまあ、その銃が発射されたかどうかを調べるものですが、もちろん手や衣服に残ることもありますよ」

「鉦君の手や衣服には、その硝煙反応はなかったのですか」

「鑑識で調べたでしょうが、まだ何も言ってこないところを見ると、なかったんじゃないですか」渡辺警部は気乗り薄である。反応が出ないこともあるらしい。「鑑識が足跡や工具痕、手袋痕などを調べていましたが、これも浜口さんが現場へお入りになったので、何も出なかったそうです。被害者の指紋や、朝がた採取させていただいた皆さんの指紋以外はね」

「すみません」と、わが庇護者《ひごしゃ》が代表してあやまった。

「すると、鉦君の指紋は」と、木内文麿氏が訊ねた。

「それも、出ませんでした」渡辺警部が答える。「まあ、指紋を残さぬ犯行も可能ですがね」

「鉦君が犯人とは思えないんだが」工藤忠明が同意を求めてきた。「どう思う」

「そうだね。あのう警部。さっき警部が、少年じみた、馬鹿《ばか》な、情熱に駆られた行動とおっしゃいましたが、その程度のことであればわれわれ絵かき仲間など芸術家にとっては、別に珍しくもない日常のことですよ」

「そうでしょうな」渡辺警部はまたにやにやした。「われわれにとって困るのは、そうした芸術家の情熱的な行動と、犯罪者の行動とが、反社会性という観点からは極めて似ておることですよ」

露骨にいやな顔をしてしまったらしく、警部があわててあやまった。「ああ。これは失礼」

「だが、どちらにしろ鉦和博は芸術家などではなく、社会人としての自覚を持つべき企業の社員なのですから」木内文麿氏は不愉快げに言った。「軽率な行動は当然、責められてしかるべきでしょうな」

馘首《かくしゅ》するつもりかなと、おれは思った。

玄関ホールの大時計が十一時を打ちはじめたとき、ふたたび東刑事が入ってきてわれわれ全員に告げた。「被害者のご両親がお見えになりました」

所轄《しょかつ》署での用をすませ、こっちへ挨拶《あいさつ》にまわったのであろう。われわれはいっせいに立ちあがった。

第十章 逸

長いながい重苦しい時間が経過した。やり場のない怒りに身を焦《こ》がす父親と、ひたすら号泣する母親の前で、われわれは言うべきことばをすべて失い、ただうつむいているだけだった。座をはずして自室に逃れることも、全員から非難の眼を向けられそうであり、とてもできなかった。自分たちの気くばりの不足を詫《わ》びることばさえ出せないのだった。詫びればそれは父親に、尚《なお》さら怒りのやり場がないことを自覚させて半狂乱に追い込んでしまいそうだったのだ。

やっとのことで渡辺警部が、特にご両親だけからうかがいたいことがあるといってわれわれを解放してくれた時には、すでに正午を二十分ばかり過ぎていた。われわれは厨房《ちゅうぼう》の例の大配膳台《はいぜんだい》の周囲に集まり、ほとんどの者が立ったままでパンとコーヒーだけの簡単な昼食をとった。窓から裏庭を見ると、数名の警官たちが庭や森の中を歩きまわって何やら捜索していた。犯人の遺留品や凶器を探しているのだろうとわれわれは話しあった。どうせお召し上がりにはならないだろうけど、などと言いながら木内母娘《おやこ》は牧野寛子の両親のために昼食を作りはじめた。

馬場金造が裏口から、クリーニング屋の持ってきた洗濯物《せんたくもの》をかかえて入ってきた。ずいぶんげっそりとした表情だったのでおれがそう言うと、彼は力なくうなずいた。

「ずいぶんながいこと、警察にいろいろと訊《き》かれましたものでね」

「ご苦労さま」木内典子がコーヒーを淹れてやる。

隅《すみ》のベンチに腰かけ、背を丸めてコーヒーを飲んでいる馬場金造をとり囲み、警察にどんなことを訊かれただの、何を話しただの、われわれが何やかや訊いているところへ、食堂の方から東刑事が入ってきて言った。

「このブラウスはどなたのですか」

三十歳そこそこと思える若い刑事はやや気負った様子で、手にしていた青紫のブラウスをわれわれに見せた。色から判断すればあきらかに立原絵里または五月未亡人のものだと思っていると、案の定、傍《そば》へ寄ってたしかめた立原絵里が顔をあげた。

「これ、わたしのだわ」

「捨てましたか」

「いいえ。昨日、クリーニングに出したものです」

「焼却炉で発見したんですがね」

馬場金造が立ち上がり、ブラウスの置かれている配膳台に近づいてきた。「昨日出されたものはみんな、今しがたクリーニング屋が持って帰った筈《はず》ですがね」

「それは今朝がたまで、地下の大きなテーブルにのせてあった、あの洗濯籠《かご》に入っていたあれですか」

「そうですよ」

「なんでこれだけが、焼却炉に入っていたんですか」

「わかりません」

「わからないわ」

東刑事が全員を見まわした。全員がかぶりを振った。

「じゃあ、これは」東刑事は次に、持っていた黄色いゴム手袋をブラウスの隣りに置いて言った。「これも一緒に焼却炉に捨ててあったんですが」

「これはわしのだ」馬場金造が言った。「作業用のものです」

「焼却炉に捨てましたか」

「いや。三、四日前に買ったばかりのものです」

「これはどこに置いてあったんです」

「ボイラー室に」

全員の顔色が次第にこわばってきた。

「鑑識にまわしますので」

東刑事が興奮気味にブラウスとゴム手袋を持って立ち去ると、われわれは不吉な予感を覚えながら顔を見あわせた。

「硝煙反応といったっけな。あのブラウスと手袋からそれが出たら、犯人が身につけていたものということになるぞ」

「わたしって大柄《おおがら》だから、たいていの男のひとならあのブラウス、一応は着れるのよね」と、立原絵里が言った。

「犯人が昨日の昼間か、あるいは夜になってから地下に忍びこんで、あれを盗んで身につけて、犯行に及んだってことか」

「あらまあ。何のためにですか」

「擬装したのかもしれないし、硝煙反応のことを知っていたからかもしれない」

「地下室への入口は全部、夜は鍵《かぎ》をかけるんですがね」と、馬場金造が言った。「いつも七時ごろですが」

「じゃあ、それまでに入って、持ち出したんだ」

「犯人は最初から、寛子さんを殺すつもりだったんですか」

木内典子が突然そう言ったので、全員がびっくりした。

「えっ」

「どうして」

「自分のからだや服から硝煙反応が出るのを避けるためにそれを着たのだとしたら、はじめからピストルを撃つつもりだったってことになるでしょう」

木内文麿氏が呻《うめ》いた。「じゃ、擬装しただけかな。手袋は指紋を残さないためにだけ」

「夜になってしまえば外からは地下室に入れないとすると、犯人はあのブラウスと手袋をいつ焼却炉へ抛《ほう》りこんだんだい」

「庭への鍵はいつも七時ごろあけます」と、金造は答えた。「今朝はこの騒ぎで早く起きて、六時過ぎにあけました」

「じゃ、犯人はそれまで、どこかに潜んでいたってことになるぞ」

「それは無理だろう。六時過ぎにはもう警官が来て、この辺の捜査を始めていたぞ」

「だとすると、鉦さんでないことだけははっきりしますね」彌生夫人がほっとしたように言った。「中熊沢銀座にいたのが六時ですものね」

「まあ、すべてはあのブラウスと手袋から硝煙反応が出たらの話だが」

「いやあねえ。もし出たら」立原絵里が大声を出した。「警察はわたしを疑うわ。わたしのブラウスだもの」

立原母娘を除く全員が一笑に付した。

「誰もそんなこと、思わないよ」

「いいえ」五月未亡人は蒼《あお》ざめていた。「皆さんはそうお思いにならなくても、あの渡辺という警部さんなら、絵里を容疑者として訊問《じんもん》しかねません」

なるほど、と思い、一同が沈黙する。

彌生夫人が立原絵里に非難の眼を向けて言った。「さっき絵里さんは、錏さんを疑うようなことばかりおっしゃったけど、あれはやはり、ちょっとまずかったわね」

「そうだよ」と、工藤忠明も遠慮なしに言った。「あれでかえって君が疑われることになるんだぞ」

「そんなあ」立原絵里は泣き出した。「別に錏さんを疑ったわけじゃなかったのに」

渡辺警部が厨房に入ってきたので、全員が緊張した。

「牧野さんがお帰りになります」

「ああ。やっぱり」彌生夫人が嘆息した。

さっき、そういうことは比較的平気でできる立原絵里が食堂に行き、昼食の用意をしていることを牧野夫妻に告げていたのだった。

「このお料理、無駄《むだ》になりましたわね」

「お帰りになるのなら、わたしたち、お見送りしなければ」

「そうだね」

「われわれは遠慮させていただこうかな」

「じゃあ、わたしたちも、ちょっと」

木内家の人たち三人だけが見送りに出た。

渡辺警部も所轄署にできた捜査本部にいったん戻ったので、おれたちも自室にひきあげた。さすがに疲れていた。おれは少し眠ろうとした。だが、気がかりなことが多くて、疲れているくせになかなか眠れなかった。

鉦は本当に何も見なかったのだろうか。何かを見ていながら警察にはそれを隠し、あとでおれ、または他の誰かを脅迫するとか、あるいはわが身を有利にしようとか図っているのではないだろうか。

犯人は、邸内にいた誰かではないのだろうか。おれのようにバルコニーから行けば、誰だって牧野寛子の部屋まで行けるし、鉦が森から駈《か》け出てくるまでにバルコニーを逃げ戻ることもできる筈だ。

警察は、おれと牧野寛子の性行為の痕跡を発見するのではないだろうか。寛子のからだから、あるいは洗ったとはいえいったん血のついたシーツから。牧野寛子の遺体の解剖はどの程度行われたのだろう。

そんなことをあれこれ考えながらも、やはり睡眠不足には勝てず、いつかうとうとしていた。気がつくと陽《ひ》は大きく傾き、斜めの光線がカーテンの隙間《すきま》から洩《も》れ、壁の額入りポスターに迫っていた。ポスターは「アンバサドゥールのアリスティード・ブリュアン」である。

食堂へおりて行くと木内典子を除いて全員が大テーブルに揃《そろ》っていた。いずれも不安げな表情であり、捜査に何らかの進展があったことを予感させた。

「今、鉦から電話があったばかりですよ」木内文麿氏が苦笑して、工藤忠明の横に腰かけたおれにそう言った。「容疑が晴れて、警察から解放されたそうです。性懲《しょうこ》りもなく、こっちへ来て手伝うことはないかなどとほざくので、怒鳴りつけてやりましたよ」

「それで、彼はどうしました」

「さすがにしょげて、それ以上いいわけはせずに東京に帰りました」

「ええと」おれはまだ警官が何やら捜査活動をしている南の庭を見た。「鉦君が放免されたということは」

「わたしのブラウスとあのゴム手袋から、硝煙反応が出たんです」悲哀をこめた声で立原絵里がいった。「渡辺警部がまたやってきて、さっきわたし、渡辺警部から取調べを受けたんですのよ。わたしひとりだけで。わたしのお部屋で」

「立原君だけ調べるのはおかしいんだよな」工藤忠明が教え子を弁護した。「地下室へ行ってあれを持ち出せたのは立原君だけじゃないからね」

「そうそう。むしろブラウスの本来の持ち主である絵里さんなどは、あれを着たって擬装にならないんだから、いちばん容疑が薄いわけでさ」

「じゃあ、なぜこの子だけ訊問されたんですか」五月未亡人はぷりぷりしていた。

いちばん口が軽いと見られたからだ、とはさすがに誰も言えない。

「非常にいやなことですけどね」と、彌生夫人が言った。「あの警部さんは、内部の者の犯行ではないかと本気で考えはじめているみたいですよ」

「皆で昼にも話したように、外部の者だとすると、あのブラウスや手袋を持ち出して、犯行のあとでまた焼却炉に抛りこんでおくというのは無理だと見たんだろうね」

「地下の外側の通路には何やかや置いてあるし、あそこになら隠れるところはあるよ」

「事件が起ってすぐ、わたしは玄関をあけてそのままにしていたからね」木内文麿氏も言った。「あそこから入ってきたのかもしれない。横の物置部屋から地下へ行けるし」

まさか、犯人はそこまで大胆じゃあるまいと思ったが、おれは黙っていた。

「そうそう。拳銃《けんじゅう》の種類も判明したそうですよ」木内氏がおれに言った。「たいへん古い型のモーゼル・オートマチックという拳銃だそうです」

いちばん恐れていた事態がやってきた。おれは顔色の変化を隠すのに苦しんだ。モーゼル・オートマチック三二口径。あそこにあの拳銃が隠されていることを知っていそうな者はおれ以外に誰と誰だろう。平然と口にした木内文麿氏は除外してもよさそうだが老巧な演技かもしれない。とにかくおれ自身が、拳銃の所在を知っていたことの発覚を避けるため、さらには他のひとたちに嫌疑《けんぎ》がかからぬためにも黙っているに越したことはない。特におれのようなアリバイのない、この、何ものにも替えがたいすぐ隣りにいる友は、命に代えても護《まも》らねばならない。可哀《かわい》そうな牧野寛子のために真犯人を見つける協力はしてやりたいものの、今は生きている者の方が大事だ。死んだ者は死んだ者だ。生き返りはしないのだから。おれはそう思った。いざ拳銃が発見されても、知らなかったと主張することだって可能なのだ。おれの指紋が残っているかもしれないが、犯人が使用したために消えているかもしれない。よし。黙っていよう。おれはそう決意した。

「その拳銃が発見されない限り、捜査は行きづまりじゃないのかしら」と、五月未亡人が楽天的に言った。邸内にいた者の犯行とはまるで思っていないようだった。

「ただ美しい女性を射殺したいという、変質者の犯行かもしれない」

文麿氏がそうつぶやいた時だ。工藤忠明が突然とり乱した。

「ああ。ああ。ああ。あんな可《か》愛《わい》いひとがなあ。なんて惜しいことだ」彼は身をよじって叫んだ。「勿体《もったい》なさすぎる。あんなすばらしいひとはこの世にいないよ」

「好きだったのか」

しばし茫然《ぼうぜん》としたおれがそう訊《たず》ねると、彼は勢いこめて顔をおれに振り向けた。

「あったり前だろうが。あんなひとを愛せずにいられるもんか。畜生。君という存在さえなければ、おれがためらいなく純情一直線だった筈なんだ。くそう。勿体ないなあ」彼は涙を流していた。

全員がしばらくぼんやりと工藤忠明の狂態を眺《なが》め、おれは女性よりも先に仕事のことを考えてしまう自分を冷血動物のように感じていた。

やがて木内文麿氏が咳《せき》ばらいをした。「ええと。じつは今、あなたが来られるまで、絵里さんから、渡辺警部にどんな供述をしたのか聞いていたところなんですがね。つまりその、誰が誰を好きで、誰と誰がライバル関係にあったかというようなことを、彼女が警部に、いったいどこまで話したのかと」

　おれはのけぞった。「えっ。そんなことまで話したんですか」

「だって、訊かれたんですもの」またしても立原絵里は鼻声を出し、身をゆすった。

　おれは呻いた。「それであなたはつまり、あなたが昨夜、夕食のときに言っていたようなことを、すべて話したわけですか」

「だってしかたがないでしょう。警部さんったら、根掘り葉掘り訊くんですもの」

「事件と関係ないでしょう。そう言わなかったの」五月未亡人が娘を非難した。

「言ったわよ。何度も言ったわよ」泣きはじめた。

　おれは呻き続けた。

「まあ、あっちは訊問のプロなんだから」文麿氏がなぐさめる。

「それで、渡辺警部は」

「さっき、お帰りになりました」彌生夫人が苦笑した。「典子が例によって、夕食のお誘いをしたんですのよ。警部さん恐縮されて、あわてて帰られました。ほかのひとも訊問なさりたいみたいでしたけど」

「じゃあ、典子さんに救われたわけだ。それで、典子さんは」

「ですから典子は今、お夕食の用意をしています。皆さん今日は、朝からろくに何も食べていらっしゃらないでしょう。だから早いめに作るんだと言っていましたわ」

たしかに、ひどく空腹になっていた。

「わたし、手伝ってきます」いつも味方してくれる母親にまで批判され、怒った様子の立原絵里が立ちあがり、厨房《ちゅうぼう》に去った。

「そういえば、朝からトーストを計二枚食べただけで、あとはコーヒーばかりだったよ。まったく人間ってものは、こんな時でもやっぱり腹が減るもんなんだなあ」木内文麿氏がみんなの思っていることを代弁した。

「そうね」彌生夫人も立った。「じゃあ、すぐに始めましょう」

五月未亡人も立ち、女性はすべて厨房に去った。

男だけがあとに残り、しばらくはそれぞれの考えに沈んだ。ロートレック荘の滞在者の中に犯人がいるという考えを、この中の誰が本気で抱きはじめているのだろうか、と、おれは思った。一応は全員の頭の中にあるのだろうな。そしてその犯人像は。

「立原君は」と、工藤忠明が言った。「渡辺警部に、君の映画の資金のことまで話したんだろうか」

「そりゃ、話しただろう。でないと」木内氏の手前、おれは口ごもった。

「そうです。話さないと、娘たちの間のライバル関係が説明できない」木内文麿氏はずばりと言う。「画伯。この際ちょっとご忠告させていただきますが、たとえあなたが今まで牧野寛子嬢とどのようなご関係であったにせよ、また絵里さんがどう話していたにせよ、警察に対しては否定なさった方がいい。渡辺警部はあなたを疑いかねません。たとえあなたに、わたしと一緒にいたというアリバイがあったとしてもです。それどころか、わたしがあなたのアリバイを作ったとか、共犯者だとか思うかもしれません。花嫁の父になるかもしれない人間ですからね」

その通りだ、と、おれは思う。映画作りの資金欲しさに、資金提供者の令嬢と結婚しようとするおれが、以前から関係のあった牧野寛子を邪魔に思い、射殺した。木内文麿氏はそれを手伝うか、黙認するかした。あの渡辺警部ならそんな荒っぽい筋書きを想像しかねなかった。

「これはご内聞に願いたいが、それを否定なさるためには、最初から典子だけが好きだったという具合に典子の名前を持ち出してくださってもかまいません。というより、あなたに好意を持っている典子の感情を利用してくださってもいいのではないか。典子とは相思相愛であったというようにです。この悲劇に便乗するようですがね」

「恐れ入ります」おれはそんなことを言う木内文麿氏に一礼した。「しかし、典子さんの気持については、ぼくは木内さんほどの確信を持てないのですが」

「わたしも本人に確かめたわけではないのですが」文麿氏はややあやふやな表情をした。「そういう話題を娘は嫌《きら》いますし、突然怒り出したりもしますのでね。しかし」

木内文麿氏は急に身をのり出した。ことばに熱が入りはじめた。「渡辺警部は絵里さんの供述を裏づけるために、あなたの経済状態を調べたりもする筈《はず》です。銀行に問いあわせたりして、お父上の浜口氏がお邸《やしき》を抵当に入れてまであなたに資金援助していることなども探り出すでしょう。製作費の一部未払いまで探り出すかもしれない。その際、すでにわたしの出資が以前から決定していたことにした方がいい。事実わたしの腹は決まっていましたからね。あなたと典子との結婚のことを度外視してです。わたしは、もし訊《き》かれたらそう答えるつもりです」

老獪《ろうかい》だった。おれが典子嬢との結婚を望み、結婚せざるを得なくなった今になって、以前から出資する気であったなどと言い出す図太さにおれは感心した。おそらくは自分でなかばそう信じこんででもいない限り、なかなかこうは断言できるものではなく、その辺が大実業家の精神構造なのだろうか。じっとおれを見つめる木内文麿氏のでかい眼《め》は、娘のことを頼んだぞと脅迫的に告げていた。

「わかりました」しかたなく、おれはそう言った。

どのようにわかったのかと念を押したい様子で木内氏がさらに何か言おうとした時、食器を運んで木内典子があらわれた。文麿氏は口を閉ざした。それからは女性たちが夕食を運んで次から次とあらわれた。会話は中断した。そして夕食がはじまった。

第十一章　緩

昨夜の夕食のメンバーから鉦和博と牧野寛子が欠けていた。しかしわれわれは、なぜか昨夜とほとんど同じ位置に腰かけた。昨夜と異るのは五月未亡人と彌生夫人の席の入れ代わりだけであった。牧野寛子にかわって彌生夫人が厨房へ往復するためであろう。

最初のうちは誰もが、おかしなことを口走ってはならないという気づかいから無言であったが、不安というものはことばを口にせずにいられなくする。珍しく木内典子が喋《しゃべ》りはじめた。

「まるで悪い夢を見ているようです。寛子さんがいないなんて。昨日はここにいたのに」

「気だてのやさしいひとでしたね」

「明るくって」

女性たちが涙声になった。

「お葬式に行けないのね」

「だって、警察に足止めされてるから」

「それはあちら様もご存じだし、それに、わたしたちはむしろ行かない方が」

「そうかもしれませんわね」

最初のうちはそんな、なに気ない会話だったのだが、例によって立原絵里の発言が空気を険悪にした。

「明日はほかのかた全員の訊問があると思うわ」自分だけが事情聴取されたことにこだわっていた。「最初は典子さんかしら」

一同がぎくりとした。

工藤忠明は教え子の発言に含まれた毒をやわらげようとした。「それまでに犯人が逮捕されなければだろう」

「絵里さんから言われる前に自分から言ってしまいますけど」木内典子が頭をあげて言った。「今日の絵里さんの証言で、警察はきっとわたしを容疑者にするでしょう。寛子さんのいちばんのライバルはわたしだと思ったでしょうから」

「わたし、そんなこと言わないわ」立原絵里がたちまち泣き声になる。

「寛子さんが死んで、いちばん得をするのは誰か。警部さんはそう考えます。あなたがいつも冗談めかして、半分本気でおっしゃってる、あの浜口さんの花嫁候補の順位をおっしゃったんだから」屹《きっ》とした眼で、木内典子は立原絵里を見た。「わたしは今まで、何も言ったことがないのに」

「まあまあ、典子さん。そんなに神経過敏におなりにならないで」五月未亡人が娘にかわって防御した。「ここにいたひとが疑われるとすれば、それは全員なんですから」

「おやまあ。それはどうしてですか」今度は彌生夫人が頭をあげた。

「絵里のブラウスを着ることのできたひとは一応、全員が容疑者でしょう」

馬鹿《ばか》ばかしさに、座がちょっとしらけた。

木内文麿氏が軽口の口調で言う。「ほかのひとはともかく、わたしだけはあのブラウスを着るのは無理だよ」

一同、なるほどという眼で文麿氏の巨軀《きょく》を見る。

「でも、羽織るだけなら」と、五月未亡人はこだわって見せた。

「逆にぼくなどは、ぶかぶかですな」と、おれは言った。

「いいえ。重樹さんだって、上半身はほかのひととほとんど同じです」と、五月未亡人はどこまでも執念深い。「全員、容疑者です」

「犯行のあった時、木内さんとぼくは食堂で一緒にいたんですよ」

「だけど警察なら、共犯だと思うかもしれませんわね」

「ぼくには動機がありませんよ」と、工藤忠明が言った。

「ぼくにもだ」

「ですからそうしたことをこれから警察が調べるんでしょ。隠れた動機というのを」

深い考えもなく立原絵里の口にしたことばが、おれを考えこませた。立原絵里が訊《じん》問《もん》されたということは、そして愛情問題、ライバル関係の事情聴取がなされたということは、牧野寛子の遺体から精液が検出され、情交のあとが認められたということではないのだろうか。それを公表せず、われわれにも教えないのは、それが直接死因に関係がないため被害者の人権にかかわってくるからだろう。次は男性が血液型を調べられるかもしれない。警戒させぬため女性も含めて全員に訊くかもしれないな。血液型を訊かれたかどうか立原絵里に訊ねようとして、おれは思いとどまった。訊ねる理由がなかった。

玄関ホールの電話が鳴ったが、すぐに誰かが出た様子だった。

「ホールに誰かいるんですか」

「まだ、警官がいます」と、木内氏が言った。「新聞社などから電話がかかってきたりするので、その応待もしてくれていますから、あれはずいぶん助かっています」

「さっきマスコミのひとが二、三人、玄関までやってきたんですのよ」と、彌生夫人

ジャヌ・アヴリル［145頁参照］
1893年　石版刷りポスター　130×95cm

ラ・ジターヌ［159頁参照］
1899〜1900年　石版刷りポスター　109.4×64cm

が言った。「金造さんが追い払ってくれましたけど」

「夕刊が、もう来ていると思いますが」木内氏はかぶりを振った。「わたしは見たくないですな」

「新聞は事実だけでしょうが」工藤忠明が言った。「もし外部で犯人が、もちろん真犯人は外部の者にきまっているわけですが、もし逮捕されなかった場合、週刊誌あたりが興味本位で書き立てかねませんね」

「いやですわね」

「困りますわね」

表面的には対立もおさまり、あとはそれぞれの思いで一同もくもくと食事を終える。

「わたし今夜、怖くて、ひとりではとても眠れないわ」立原絵里が食後のコーヒーの時にそう言った。

これは木内典子も同様であったらしい。五月未亡人までが誰かとの同室を希望した。五月未亡人の部屋で立原母娘《おやこ》が、木内典子の部屋で木内母娘が一緒に寝ることに話が決まった。

第十二章　戯

ほかの客が自室に引きあげたあと、おれはまだ眠れそうになく、残って片づけものをしている木内典子にねだってハイボールを作ってもらい、ひとりテラスに出て繁華街の灯《ひ》を眺《なが》めながらもの思いに耽《ふけ》った。

「あまりお飲みになると毒ですよ」

そんなことを言いながらも新たな氷とソーダ水をトレイにのせて木内典子がテラスにあらわれた。年上の者にまで説教じみたことを言うのが彼女の一種のリップ・サービス乃至《ないし》親愛感の表現であるらしいことを知ったのはつい最近だ。

「はいはい」

「寛子さんが好きだったんですか」

彼女はおれの隣りに腰かけた。悲しみを忘れるために飲んでいると解釈したようだ。

「それはもう、勿論《もちろん》」

彼女はおれの顔をじっと見つめた。何を言い出そうとしているのか、ちょっとわからなかった。娘らしいことばを予想していると時おりとんでもないことを言ったりするので、彼女にはしばしば驚かされる。

木内典子とはじめてのふたりきりだ。彼女とのこのテラスでの対話は、どのような話になるにせよ、きっと一生忘れられないものになりそうだ。おれはそう予感した。

「重樹さんは」と、彼女は言った。「わたしをどうお思いなんですか」

「えっ」単刀直入の質問に、おれはどぎまぎした。「どうって」

「寛子さんをお好きだったように、わたしもお好きなんでしょうか」

まさかプロポーズではあるまいな。誇り高い彼女がそんなことをするわけがない。単に好意を持っているかどうかを確かめたいだけに違いないのだ。

「そんな。ぼくなど、あなたのような女性を好きだの嫌いだのと、どうこう思えるような人間じゃありませんよ」

「あら。どうしてですか。だって寛子さんは好きだったんでしょう。今、そうおっしゃったわ」

「あのう、それはですねえ」おれはふざけることにした。彼女とまともに向かいあうことに耐えられなかった。「リリパットの女性がガリバーに惚《ほ》れたというエピソードがあります。ま、いわばあのようなもので」

だが彼女はあくまで真面目《まじめ》だった。「牧野寛子さんが亡《な》くなったことで、父はもしかすると、浜口さんに映画の製作費の出資を申し出るかもしれません」

その申し出はすでにあったのだ。しかし文麿氏は娘には内密に、と、つけ加えた。持参金を餌《えさ》の結婚など彼女が望まぬことは、父親である彼にはよくわかっているからだ。

「どうお思いですか。わたしは親の資産がなければ結婚してもらえないような娘なんでしょうか」

「とんでもありませんよ」おれはのけぞりながら反射的にそう言った。「誰がいったい、マリア様や観音菩薩《ぼさつ》に持参金を期待するというんですか」

「すぐ、冗談になさるのね」恨めしげに彼女はおれを睨《にら》んだ。「でもわたし、あなたのそんなところが嫌いじゃないんです」顔を赤くした。

木内典子にすれば、相当思いきった告白であったのだろう。おれも顔を赤らめた。しかし、いい気になってはいけない。またしてもおれはそう思うのだ。牧野寛子のおれへの好意が多く同情心から発したものであったのと同様、この木内典子のおれへの好意は、いわば義務感とでも言うべきものから発している筈なのだ。それに甘えてはいけない。また深い深い、癒《いや》すことのできない傷を負うことになるぞ。おれはけんめいに自分を戒めた。そして自分の小さなからだに相応の道化を続けることにした。

「あなたは巨額の持参金で貰《もら》われて行くようなひとでもなければ、男性から選ばれて結婚するひとですらありません。あなたはご自分で男性を選ぶべき女性なんです。そういう意味でならば、わたしも立候補させていただきますよ」おれはグラスを手にして立ちあがった。自分の小さな全身がよく見えるよう、テラスの端、彼女の正面に立ち、おどけて見せた。「わたしと結婚すればいかに経済的かはよくおわかりになると思います。すべて子供用の商品で間に合い、仕立ての服地も半分。団地サイズの住まいが相応で、水道代ガス代半分の小さな浴槽《よくそう》で充分です。机も椅子《いす》も足さえ切れば特別仕立ての必要なし。たとえシングル・ベッドでも、あなたの足もとに丸くなれば湯たんぽがわりで一挙両得。おっと資産家のお嬢さんに、こんな話は不必要でしたね。そもそもわれわれは古代エジプトの侏儒神《しゅじゅ》ベスをはじめとしてギリシャ・ローマ時代以来の魔除《まよ》けのお護《まも》り、一寸法師は姫の護衛ですべてあなたのお役に立ち、さらに知恵ある少彦名《すくなびこな》は芸能の神。これでもうわたしの将来は約束されたようなもので前途洋洋。いずれは侏儒褒章《ほうしょう》が貰えます」

涙が出るほど笑った木内典子が、眼をうるませたままでおれを見つめた。それはまるで彼女が、強《あなが》ち笑ったための涙だけで眼をうるませているのではないように見えた。

「どうしてそんなにご自分を貶《おとし》められるんですか。あんなに立派なお仕事を、たくさんなさってるのに」

　真剣な木内典子の眼で、おれは自己嫌悪《けんお》に駆られた。ふざけるべき相手ではなかったのだなあ。ひしひしとそう感じたものの、もうとりかえしがつかないようにも思えた。体軀への自覚から自然に発生する道化の血がやらせたのだ。しかたがない。そう考えて自分を納得させるしかなかった。

「結局重樹さんは」沈黙したおれに、長い吐息をついてから木内典子は言った。「ご自分でご自分のしあわせをつかみとるかたなんですね」彼女は立ちあがった。「まだ、ここにおられますか」

「このグラスだけ、あけてしまいます。ぼくの相手をしてくださって、ありがとう」

「じゃ、わたし、やすませていただきますわね」

「おやすみなさい」

「おやすみなさい」

第十三章　急

われわれロートレック荘に滞在している者の今までの話の中では、事件の容疑者として馬場金造の名前が出たことは、冗談にもせよ一度もなかった。滞在者ではなくむしろ住人と言うべきその名前が、容疑者として頭に浮かんだことすらなかった筈《はず》である。しかし警察の考えはわれわれと異なり、自在に犯罪行動や証拠湮滅《いんめつ》ができる可能性の最も多い者として、内部の者の中ではいちばん容疑の濃い人物とされたようだ。

翌日は朝の十時より、渡辺警部の事情聴取はまず馬場金造から、彼の地下室の住居内においで始まった。われわれ滞在客がそれを知ったのは、遅いめの朝食に集った食堂においてであった。

「まあ。お気の毒に」と、五月未亡人が言った。「そんなひとじゃないってこと、警察にはおっしゃらなかったのですか」

「言いましたとも」憤然として彌生夫人が言った。「だけど金造さんの次には、わたしたち自身が容疑者として訊問される立場なんですからね。考えてみれば、ひとの弁護なんてできる立場じゃないんですよ」

「申し遅れておりましたが」木内文麿氏は言いにくそうに言った。「警察から、皆さんがた全員の事情聴取をしたい旨《むね》、言ってきました。どうやら外部に容疑者らしい者が見つからなかったようなのです。渡辺警部が、馬場金造の取調べを終え次第、今度は部屋を二階のあの空室に替えて、皆さんから順次お話をうかがいたいとのことです」

「ははあ。で、最初は誰ですか」

「最初は浜口さん、あなただそうです。いやもう、不愉快な思いをさせて、まったく申しわけありませんなあ」木内氏は心から申しわけなさそうにそう言って頭をさげた。

「その順番は、決まっているのでしょうか」と五月未亡人が訊《たず》ねる。

「いや。浜口氏の話を聞き終えたのちに、次のかたを決めたいということです。で、皆さんにはひとつ、邸内におとどまり願いたいとのことで。ああ。絵里さんだけはご自由にとも言っておりました」

「よかった。それじゃわたし、車で買物に行ってきますわ。お夕食の材料がもう何もないんですもの」

おれの事情聴取が一番に行われるのは、やはり牧野寛子との「情交」の有無を問いただすためだろうか。いやな、鬱陶《うっとう》しい時間になりそうだが、なに、恐れることはない。何よりも、犯行時間には木内文麿氏と一緒にいたということが無実の証拠だ。まさかおれが警部から犯人扱いされることはあるまい。

立原絵里に充《あ》てられた部屋の隣り、北西のかどの空室で、渡辺警部によるおれの事情聴取が始まったのはそれから約一時間後、十一時を少し過ぎてからだった。警部は壁際《かべぎわ》の机に向かい、カーテンを開けたガラス戸を背にして掛けていた。案の定、質問は牧野寛子との関係からだった。

「これは、牧野寛子さんとの関係がいちばん密接だったと思えるあなたにだけお話しすることなのですが」と、渡辺警部は言った。「彼女は殺害される何時間か前に、男性と愛しあった形跡を残しています。不躾《ぶしつけ》な質問でおそれいりますが、そのお相手は浜口さん、あなただったのでしょうか」

おれがどう答えたものかとためらっていると、警部は追い討ちをかけてきた。

「もしそうだとお答えくだされば、こんな立ち入った質問は二度としませんし、ほかのかたに言うこともないのですが。つまり、ほかの娘さんとのご縁談も進行中のご様子だからさしさわりがあると思うわけです。しかしながらもし彼女の相手が浜口さんでなかった場合、これは牧野寛子さんと愛情関係やライバル関係にあったひとを特定するため、当然ほかのかたにも訊ねなければならなくなってきます。その場合あなたにとって、ほかのふたりのお嬢さんに一昨夜のことが知られてしまうという、非常にこの」

「わかっています。わかっています」おれは苦笑して警部のことばをさえぎった。「どうせ、すべてお話しするつもりでしたから、そんなに先まわりなさるには及びません」そしておれは一昨夜のできごとすべてを細大漏らさず語った。

「よくわかりました。まあ、あなたの場合は事件が起ったとき、木内文麿氏と一緒に食堂におられたことがわかっておるわけで、アリバイはあるわけですから」渡辺警部はそう言って調書に何か書き込んでから、またおれに向きなおった。「そうそう。その、事件が起ったときのことですが、最初に現場に向かって駈《か》け出したお二人以外のかたは、すべてひとりずつ、つまり単独で自室におられたわけですな」

「そうでしょうね」

「アリバイはないわけですな」

「そういうことになりますかね」

「いちばんあとから駈けつけてきたひとは誰でしたか」

「わかりませんね。自分の部屋からとび出してきた工藤君と合流して、典子さんの部屋に入って、バルコニーから現場に行き、またバルコニーから典子さんの部屋に戻ったときは、そこにもう、全員が揃《そろ》っていましたよ。ああ。馬場金造は別ですが」

「馬場金造さんの住まいまでは、銃声はかすかにしか届かなかったようですよ」

渡辺警部が言ったその言葉づかいから、馬場金造の容疑は警部の中でずいぶん薄れているらしいと知れた。

「ところで浜口さんは、このお邸《やしき》とはずいぶん古くからのご縁だそうで」

おれは、おれ自身の経歴とも重なりあうこの別荘との因縁を、ドイツ人貿易商時代の昔にまで遡《さかのぼ》って物語った。物語は渡辺警部を圧倒したようだった。

「いやはや、たいへんな歴史のあるお邸なんですなあ」彼はやや大袈裟《おおげさ》にかぶりを振り、語り終えたおれの余勢を駆り立てて喋《しゃべ》らせてしまおうとするかのように、挑発的《ちょうはつ》に身をのり出した。「ところでそんな古いお邸なら、もしかしてどこかに古い拳銃《けんじゅう》が秘密に所蔵されたりはしていないでしょうか」

喋ってなるものか。おれは表情を変えまいとした。「それは知りません」

「そのようなものが隠してあるという、噂《うわさ》だけでも聞かれたことは」

「ありません。知りません」

断言しすぎたようだ。渡辺警部は疑わしげにおれを見た。「一度もですか。子供のころもですか」

「そう言われては。聞いて忘れているのかもしれませんが」

警部はさらに、ことさら順序立てず、あちこちをほじくるようにしてこまごまと些《さ》細《さい》なことを訊ねてきた。行きあたりばったり、思いつきだけで訊ねているようだったが、もちろんそうではないのだろう。滞在者各人の性格や対人関係まで訊ねられたが、これは最初からおれの返事に期待している様子ではなかった。

「変質者その他、外部にそれらしい者はいなかったのですか」だいたい質問が終ったと見て、おれは訊ねた。

「捜索中です」あまり答えたくはないようだった。「まだ、内部に犯人がいると決めこんでいるわけではありませんから、あまり神経を使わないようにしてください。質問はこれで終らせていただきます。長い時間ご苦労さまでした」

一時間経《た》っていた。

「正午ですが、できれば簡単に木内夫人のお話だけうかがってしまいたいと思います。お手数ですが、そうお伝え願えませんか」

映画の大赤字や借金のことを訊ねられなかったのが意外だったが、アリバイがあるため容疑が薄いのだろうと思い、何よりも訊問《じんもん》が終ったことにほっとして、おれは食堂におりようとした。だが、西の回廊から見おろすと食堂には木内文麿氏がいるだけだった。

「奥さまは」と、おれは上から訊ねた。

文麿氏は指で北東の部屋を差した。「娘と一緒に、あの部屋にいる筈ですが」

「では、お伝えしてきます。警部が、事情聴取を行いたいとかで」

「あなたはもう終ったのですか」

「ええ。今、終りました」

「じゃ、お願いします」

おれは北の回廊をまわり、突きあたりにある木内典子の部屋をノックした。彌生夫人がドアを開けた。おれは彼女に渡辺警部からの伝言をして、東の回廊をまわり、いったん自室に戻ってTシャツや下着などの洗濯《せんたく》ものを抱え、階段をおりた。北の回廊を、訊問に充てられた空部屋へ行く彌生夫人の姿が見えた。木内氏はもう食堂にはいなかった。厨房《ちゅうぼう》を通っていったん裏口から出、地下におりると右側の部屋に入った。中央の石の大テーブルに向かって、むずかしい顔をした馬場金造が洗濯もののいっぱい入った大きな洗濯籠《かご》を睨みつけていた。

「どうかしたのかい」

「この洗濯ものですがね。ここに置いといたんじゃまた、よそから来たやつに持っていかれねえかと思って」

「渡辺警部に何か言われたんだな」

それには答えず、金造は溜息《ためいき》をついた。「今まで洗濯ものを盗まれたことなんて、一度もなかったからねえ」

「昔、犬を庭で放し飼いにしていたことがあったろう」と、おれは言った。「また、飼ったらどうかな」

「お忘れですかい。あの犬めが森の中でひとを嚙《か》んだのを。あれで警察に叱《しか》られて、放し飼いを禁じられちまったんです。なにしろ犬ってやつには森と、私有地の庭との境界がわかりませんからねえ」

裏庭からの鉄扉《てっぴ》を開けて、東刑事が入ってきた。「馬場さん。あの森の中で、この別荘のものと思えるものを二、三発見したんですがね。つまらないものなんですが、犯人の遺留品かもしれないので、ちょっと見てもらえませんか」

「へい」

「どんなものですか」と、おれは訊ねた。

「もしお手すきでしたら、浜口さんにも見ていただけますか。花瓶《かびん》、食器、それに、でかいものでは椅子などがありました」

東刑事についておれと馬場金造は森に入った。十数メートル入ったところに縁の欠けた花瓶がころがっていた。見覚えがあった。

「これは昔、別荘で使っていたものです」

金造がそう言い、おれが横から保証した。

「ながいこと地下の通路に置いてあったものです」

灰皿がわりにしたらしく、中には煙草《たばこ》の吸殻《すいがら》がいっぱい入っていた。さらに奥へ行くと欠けた湯呑茶碗《ゆのみぢゃわん》があった。これには見覚えがなかったが伊万里《いまり》焼きであり、別荘のどこかから持ってきたもののようだった。その数メートル東には、やはり昔地下通路に放置してあった壊れかけたソファが、風雨にさらされてぼろぼろになっていた。あたりにはビールの空缶《あきかん》が散乱していた。

「よくまあ、こんなところまで運んできたもんだ」

「少くとも三人以上のグループの仕わざでしょうね」

「アベックには恰好《かっこう》のベッドだったでしょうなあ」

そんなことを話しているとき、かすかに銃声のような音がした。三人が顔を見あわせるなり、また同じ音がした。

「二発」

東刑事がいったん飛びあがるような恰好をしてから裏庭に向かって駈け出した。おれと金造があとを追った。拳銃に違いなかった。木内典子が撃たれたのであってくれるな。おれは咄嗟《とっさ》にそう願った。なぜそう思ったのかわからない。いちばん心にかけているひとだったからだろう。

裏庭に出ると、正面を警備していた警官が邸の北をまわってバルコニーへの階段に駈け寄ろうとしていた。

「そこにいろ」東刑事が叫んだ。「台所と地下の出口を見張れ」

木内典子の部屋のガラス戸とカーテンが開け放されていた。彼女が部屋にひとりきりであることをおれは思い出した。

「あんたは玄関にまわって、出ていく者を見張ってください」バルコニーへの階段を上りながら、東刑事は振り返って馬場金造にそう叫んだ。

おれは東刑事のあとから階段を駈けあがった。悪い予感が適中していた。木内典子は自室の床に仰向けに倒れ、Tシャツを着ている上半身のどこかを撃たれていた。後頭部をベッドの足にぶつけていた。眼《め》を閉じ、足は北の壁に向けていた。おれと東刑事は声なくバルコニーに立ちすくんだ。やがて頭部を撃ち抜かれていることがわかってきた。そのあたりから床に血が拡《ひろ》がり出したからだ。絶望だ、と、おれは思った。

木内典子は死んだ。あの引き締まった美しい肢体《したい》が、額に入ったポスター、「ジャヌ・アヴリル」の下に、力なく横たわっていた。

回廊からのドアが勢いよく開いた。渡辺警部だった。彼は瞬間仁王立ちになり、死体を見おろした。喉《のど》の奥で何やら言った。

振り返り、大声を出した。「入らないでください」

「典子。典子」警部の肩越しに、引き攣《つ》った彌生夫人の顔がちらと見えた。

「そこにいてくれ」東刑事にそう命じて警部はいったんドアを閉めた。

彌生夫人が泣く悲鳴まじりの大声の彼方《かなた》から、木内文麿氏の怒号が近づいてきた。その声が邸内に、地獄のように谺《こだま》していた。おれはうしろによろめき、背後のコンクリートの囲いにいったん背をあずけてから、その場にうずくまってしまった。全身の力が抜け、次いで大きな震えがきた。

事件から一時間後、邸内外は数十人の刑事と警官で満ちあふれていた。大事件だった。誰も彼もが興奮しきっていた。打ち沈んでいるのは、またしても食堂に集められたわれわれだけだった。彌生夫人だけは、あまりの悲しみに貧血を起し、夫婦の部屋に閉じ籠《こも》っていた。一時間に及ぶ怒号と咆哮《ほうこう》と号泣がおさまった木内文麿氏は、気丈にもわれわれと共に大テーブルについていたが、そのうちしおれた様子は気の毒でとても正視できるものではなかった。

立原母娘は泣き続けていた。自室にいた五月未亡人は邸内に響きわたった銃声二発ですぐさま何が起ったかを悟り、そのまま部屋の中で顫《ふる》えていた。立原絵里は中熊沢銀座で買物をしていて警官から事件の知らせを受け、貧血を起し、その警官の運転する彼女自身の車で戻ってきた。

渡辺警部の顔つきが変ってしまっていた。事情聴取している眼と鼻の先で殺人事件が起ったのだから、失態と言われてもしかたのないところであろう。彼がわれわれを見る眼つきはもはや犯人に対するそれであり、敵意に満ちていた。

「本当に、誰も、何も見ていないのですか」ことば遣いまで乱暴になり、怒鳴るように彼は言った。「北の回廊は、わたしと話していた木内夫人がずっと見ていて、誰も通らなかったことがわかっている。わたしは銃声ですぐ回廊に出て、回廊にも階段にも誰もいず、被害者の部屋から回廊へ出てきた者がいないこともわかっている。裏庭には東刑事が駈けつけたから、階段をおりた者もいないことになる。だとすると残るのは犯人が回廊を南へ走った可能性だけだ」警部は工藤忠明を睨《にら》みつけた。「あなたは部屋にいて、本当に何も見ていないのですか」

「でもぼくは、銃声ですぐ回廊へとび出してしまったから」工藤忠明は睨まれて不満げに言い返した。「それは警部さんもご存じでしょう。銃声がどっちから聞こえたか、回廊の北と南であのとき大声で確かめあったじゃないですか」

「となりの部屋へ逃げ込んだんじゃありませんか」と、おれは言った。「回廊をどう逃げようが、どうせ裏庭への階段以外に逃げ道はありませんよ。でもあそこにはぼくと東刑事がずっといたし」

「亡くなった牧野寛子さんの部屋は閉めきってあったし、立原絵里さんの部屋も閉めきってありました」

「では、警部さんたちのおられた部屋はどうですか。警部さんと木内夫人が回廊へ出たあと、犯人が入ってきて潜伏した」

渡辺警部は凄《すご》い眼でおれを睨みつけ、無礼にも指をつきつけた。「だとすると、犯人は邸内の人物だということになりますぞ。出口は事件発生直後からどこもかもがっちり固めたし、邸内は隈《くま》なく捜索した。まだわれわれの知らない秘密の部屋か隠れ場所でも存在しない限り、犯人はこの中の誰かだということになります」

悲鳴をあげて、立原絵里が立ちあがった。

「わたし、もういや。もういや。おうちに帰らしてください。次はわたしが殺されるんだわ。そうなんだわ」

さすがに渡辺警部が驚いて言った。「落ちついてください。落ちついてください」

「ご自分が脅《おび》えさせておいて、落ちつけもないもんじゃありませんか」五月未亡人が非難の眼を警部に向けながら娘を宥《なだ》める。

「すみませんな」渡辺警部が憮《ぶ》然《ぜん》とした。

東刑事が厨房の方から入ってきて、警部に何やら耳打ちした。

「またか」警部は眼を丸くした。「どこにある」

「台所のテーブルに置きました」

「ちょっと失礼」渡辺警部は東刑事と共に厨房へ去った。

「あのとき浜口さんから聞いて、娘があの部屋でひとりきりになることがわかっていたのに」と、木内文麿氏は呟《つぶや》いた。眼がうつろだった。「傍《そば》にいてやればよかった」

慰めようがなく、全員が沈みこむ。

「このTシャツはどなたのですか」青いTシャツの裾《すそ》を指さきでつまんだ渡辺警部が、でかい靴《くつ》などを持った東刑事を従えてやってきた。

「ぼくのだ」工藤忠明がのけぞった。「また焼却炉ですか。昼前に、地下におりて洗濯籠へ入れた」

「その靴はわたしのだな」木内氏が投げやりな口調で言う。

「どこにあったものですか」と、東刑事が訊《たず》ねる。

「玄関横の下駄箱《げたばこ》だと思いますが。以前衣装室だった、あのがらくた置場の」

「またしても馬場金造さんのゴム手袋と一緒に、焼却炉に投げ捨ててありました」

渡辺警部はTシャツを東刑事に渡し、東刑事は三点の証拠品を抱えて玄関に去った。鑑識にまわされ、硝煙反応が出るのは間違いのないところだろう。

わが親友の上に疑惑が覆《おお》いかぶさりはじめていた。渡辺警部がちらりちらりとこちらに向ける眼がそれを物語っていた。おれは彼を庇《かば》うように警部の眼を見て言った。

「ぼくには、犯人は外部の者としか思えません。身軽なやつならバルコニーから、柱を伝っておりるか、飛びおりることだってできた筈《はず》でしょう」

「ええ。ええ」やや面倒そうに渡辺警部は頷《うなず》いた。「わかっています。わかっています。ですから邸外も徹底的に捜索中です。なにしろ、わたしがいながらこんなことになったもんだから頭にきてしまって、皆さんがたの誰かを犯人と決めつけるようなことを言ってしまった。申しわけない。お詫《わ》びします」

東刑事が、今度は玄関ホールから出てきて警部に言った。「お電話です」

「あんなことおっしゃったけど、あの警部さん、わたしも疑ってるわ」渡辺警部がホールに去ると、五月未亡人が、悲しげにそう言った。

「まっ。どうしてお母さんが」

「バルコニーを南からまわって自分の部屋に帰れたのはわたしだし、部屋にはひとりだったし」

「それは、ぼくだってそうですよ」工藤忠明も言った。「自室に駈《か》け戻ってすぐ、回廊へとび出して、警部と話すこともできたんだから」

木内文麿氏もひとりで夫婦の部屋にいたわけだが、彼が実の娘を殺すなど荒唐無稽《むけい》な考えというべきであり、渡辺警部の頭にもないだろう。

われわれの部屋を捜索していた刑事たちが次つぎと階段をおりてきた。二階からは何も発見できなかったようだ。

「なに。警部はああ言ったけど、犯人はどこからでも逃げられた筈だよ」おれは一同を宥める調子でそう言った。「焼却炉にあれを投げこんだあと、玄関からだって逃げられた筈だ。玄関にはしばらく、誰もいなかったからね」

渡辺警部が戻ってきた。「被害者の頭部と肩から摘出された弾丸は、牧野寛子さんを撃ったのと同じ拳銃《けんじゅう》から発射されたもので」

警部がそこまで言ったとき、殺害現場を調べていた鑑識課員が東の回廊に出てきて食堂を見おろし、大声で叫んだ。「警部。来てください。被害者の部屋に、地下まで通じているダクトがありました」

「それはダクトじゃない」木内文麿氏が立ちあがって言った。「そうだ。思い出した。娘の部屋にはダム・ウエイターが、料理用の昇降機があったんだ」

第十四章　曲

立原母娘《おやこ》が泣きながら淹《い》れた水っぽいコーヒーを飲みながら、邸内を右往左往する刑事たちの捜査活動を横目に一同しばらく食堂で時間を潰《つぶ》すうち、東刑事がやってきて全員に告げた。

「ご迷惑をおかけしましたが、皆さんのお部屋の捜査が終りました。どうぞご自由にお使いになってください」

「でもどうせ、家に帰していただくことはできないんでしょう」五月未亡人が恨めしげに言った。

「はい。それはもう少しあとになさってください。事情聴取が終るまで今しばらくご滞在を」

「わたしは娘の身が心配なんですよね」彼女はやや強い口調で言った。「警察のかたがおられながら、典子さんは撃たれたじゃありませんか。わたしたちがもう一刻もここにいたくないという気持、おわかりになると思いますけどね」

「はい。それはまあ、その」東刑事は少しおどおどした。「それではそのことを、渡辺警部に話してみましょう」

「とにかくわたしたち、もう帰る支度を始めますから」

木内文麿氏は何も言わなかった。彼にはもう、彼女たちをひきとめる理由は何もないのだった。

それぞれが自室に戻り、おれたちも部屋に帰ったが、捜査状況がどうにも気になってならず、おれひとりがまた食堂におりた。ダム・ウエイターの発見で刑事たちはほとんどが地下だの厨房《ちゅうぼう》だの、犯行現場である木内典子の部屋だのに集っていて、昇降機の竪穴《たてあな》越しに大声で呼びかけあったりして、何やらわいわい騒いでいる。食堂にも、回廊にも、誰もいなかった。

昼過ぎに来たらしい郵便物の束がテーブルの上に置いてあった。その多くはダイレクト・メールの類《たぐい》であったが、呉服屋の内見会の通知の下からは白い封筒の上半分が覗《のぞ》いていて、「速達」の朱印と、「浜口」という宛名《あてな》だけが見えた。東京の家から転送されてきたものだった。封を切って読むと、それは映画のプロデューサーからの知らせであり、撮影中に予算を超過した各種製作費の請求書が山積されており、中には訴訟も辞さないといきまいている会社もあるから、少くともここ一週間中にはなんとかしてほしいという文面だった。便箋《びんせん》をいったん封筒に入れてから、おれはそれをふたつに破り、四つに破り、ズボンのポケットに突っこんだ。

ふと誰かの視線を感じ、おれは回廊を見あげた。北の回廊の自分の部屋の前に立ち、立原絵里が手摺《てす》り越しにこちらを見おろしていた。

「いよいよ荷造りかい」と、おれは訊ねた。

「そうよ」彼女は答え、部屋に入った。

「今帰られちゃ、困るんだがなあ」厨房から渡辺警部が、東刑事を従えて出てきた。「立原さん母娘だけ、さきに事情聴取をすませてしまったらどうでしょう」と東刑事が言った。「帰るというのを、まさか力ずくで止めるわけには」

ふたりはおれに気づいて立ちどまった。

「犯人の侵入経路は、やはりダム・ウエイターでしたか」とおれは訊ねた。

「ええ」渡辺警部がおれの足に眼《め》をやった。

「ケージの床に足跡がありました。木内さんのご主人の靴跡ですがね」

おれはにやりと笑った。「あの靴は、ぼくには大きすぎますすよ」

「そのようで」

ふたりはちらと顔を見あわせ、頷きあうようにした。

「ところで、ダム・ウエイターがあること、あなたはもちろん、ご存じだったのでしような」渡辺警部は強い眼でおれを睨んだ。

「そりゃ、もちろん知っていました。しかし、わざとあなたがたに言わなかったわけじゃありません。つまりその」おれは言い澱《よど》んだ。とっくに壊れて動かなくなっていると思っていた、そう言おうとしたのだが、動くことを馬場金造と一緒に確認したことを彼がすでに喋《しゃべ》っているかもしれなかった。

「つまり、何ですか」警部は追及した。

「忘れていたのですよ」

「木内ご夫妻もそうおっしゃいましたよ」警部はうなずいた。「昔は動いていたようだがとおっしゃってね」

馬場金造は何も言わなかったようだ。おれに疑いがかかると思ったからであろう。

「じゃ、それ以外にあのダム・ウエイターの存在を知っていたひとは。馬場金造さんを除いてですが」

「わかりません」と、おれは言った。「典子さんが面白がって、みんなに話していたかもしれませんしね。それぞれのかたに直接お訊ねになったらどうですか」

「そうですな」軽くうなずき、警部は東刑事を従えて玄関ホールへと歩き出した。ホールから警官が入ってきた。「マスコミの者が玄関前までいっぱいやってきて、取材したいと」

「追い返せ」

彼らはいそいで玄関から外に出て行った。捜査にさほどの進展はないようだったので、おれは自室に戻ろうとした。その時、玄関ホールの電話が鳴った。近くに誰もいないようなのでおれが出た。

「もしもし。木内社長はおられますか」

鉦和博の声だった。

「木内さんはたいへんお疲れで、今、とても電話にお出になることはできないと思いますが」

おれが何者か悟ったようだ。彼はしばし沈黙し、やがて気ぜわしげな、ささくれ立った声で言った。「事件のことをテレビで知りました。何かと大変だろうから、お手伝いにあがりたい。そうお伝えください」

こんなやつに来られては、混乱するばかりだ。なまぬるい返事では押しかけてくるに違いないと思い、おれは語気を強めた。「来ない方がいいと思うよ」

「なぜだ」鉦は遠吠《とおぼ》えのような声を出した。怒っていた。「あんたなんかにそんなことを言われる筋合いは」

「今、事件の捜査中なんだ。木内氏も君のことではご立腹だ。来ちゃいけない。これは君のためでもある」

「典子さんを殺したのは、貴様だな」

「何を言うんだ。黙れ」

「わかっているぞ。貴様だ。殺してやるからな」彼は絶叫した。「殺してやるぞ」

おれは受話器を置き、部屋に戻った。

第十五章　転

なぜこんなにたくさんの服を持ってきてしまったんだろう。行くところなんて、そんなにありゃしなかったのに。すぐ帰るつもりで大いそぎで支度しなさいってお母さんは言ったけど、スーツケースに詰めるのに時間がかかってしかたがないわ。

二日前までは三人揃《そろ》っていた友達のうちふたりまでが殺されて、わたしひとりが残っている。とても信じられない。こんなことって現実にあるのだろうか。あの可愛《かわい》い寛子さんや、頭のいい典子さんが殺されたんだから、とてもじゃないけどわたしだって殺されない筈はないなんて考えるものだから、もう怖くて怖くて、浮き足立ってしまって、手はがくがく顫《ふる》えるし、片づけはなかなかはかどらない。

気がつけば部屋にたったひとりだ。なんとまあ、たったひとりだわ。寛子さんも典子さんも、部屋にひとりっきりの時に殺されたっていうのに。こんな時に殺人鬼がやってきたらどうしよう。この部屋へお母さんと一緒にくればよかったわ。でもお母さんはお母さんで支度があるし。

早くしなくちゃ。ああ。まだ化粧品がいっぱいあるんだわ。化粧台の上と、手洗いに。なんでこんなに山ほど持ってきてしまったのかしら。

この別荘は呪《のろ》われているわ。ここから出てしまいさえすれば大丈夫という気がする。ここにいる限り、死が襲ってくるのよ。警察の人たちがいたって殺されるんだから。また足が顫え出した。恐ろしいわ。とても恐ろしいわ。

風が入ってきた。なぜかしら。腰がひんやりとした。ガラス戸は閉めてあるし、カーテンもひかれている。どこから風がくるのだろう。

羽目板の一枚が動いたような気がした。ロートレックの「ラ・ジターヌ」のポスターの下の羽目板だ。横にずれていた。隙間《すきま》があいている。風はそこからだった。ああ。誰かの指が羽目板の縁にかかっている。黄色いゴム手袋をはめた指。その指がじり、じりじりと羽目板を横にずらせている。犯人に間違いないわ。殺人鬼なんだわ。入ってこようとしているんだわ。わたしを殺すのね。こんなところに抜け穴があったのね。底が知れないくらい秘密がいっぱいある邸《やしき》なのね。怖い。こわい。怖くてどうしようもない。やっぱりこの古い邸は呪われているんだわ。知らない抜け穴や隠された部屋がいっぱいあって、いくら警察がいたって殺されてしまうんだわ。

羽目板が、じり、じりと、もう十センチ以上開いた。間違いないわ。わたしは殺されるんだわ。タ・ス・ケ・テ……。叫ぼうとしたけど、声は出ない。わたしは部屋の真ん中に立ちすくんで、口をぱくぱくさせているだけだ。足だけが、立っていられないほど顫えている。逃げなければ。ああ。腰が落ちた。わたしはベッドの上にすわってしまった。逃げなければいけないのに。なのにベッドへすわってしまった。逃げなければいけないという時に。

誰か来て。助けて。助けて。ああ。声にならない。ひゅうひゅうと息が洩《も》れるだけだ。顎《あご》が上下し、からだ全体が痙攣《けいれん》している。がくがくと顫えている。殺される。わたしは殺される。

羽目板の隙間の彼方《かなた》に、わたしを殺そうとする忌《い》まわしい者の服が見えた。そして顔の一部が見えた。どうしたことだろう。わたしは今、にこにこ笑っている。あまりの恐怖で気がおかしくなったんだわ。こんな時ににこにこ笑うなんて。まるで殺されたがっているみたいに。わたしを殺そうとするひとが、まるでとても懐《なつ》かしいひとででもあるみたいに。ほんとに懐かしいのかしら。ここでこうして殺されることは、わたしが生まれた時から決まっていたことだったから、それをわたしはなんとなく知っていたから、それでとても懐かしいのかしら。

そのひとの顔があらわれた。片手にピストルを持ち、普段とはまるで変ってしまった恐ろしい眼をしている。ああ。やはりこのひとだったのね。なぜ今までわからなかったのだろう。わたしは今、やっとわたしが、なぜこのひとに殺されるのかがわかった。寛子さんが、典子さんが、なぜこのひとに殺されたのかがわかった。

わたしは殺される。なのにわたしは、このひとに向かって、いいえ、死に向かって、まるで憧《あこが》れるかのような眼をし、親しげな笑みを浮かべてにこにこ笑っている。

そうだわ。なぜ今まで思い出さなかったのかしら。寛子さんが殺された朝、銃声におどろいてしばらく部屋の中で顫えていて、やがておそるおそる回廊へ出たとき、このひとは階段を駈けあがってきたのだったわ。わたしはあの時、このひとがいったん部屋からとび出して方角を間違え、階段を駈けおりたのだとばかり思って、典子さんの部屋にみんなのいる姿が見えていたものだから、こっちよ、などとこのひとに教えてあげたのだった。実はこのひとはあの時、衣装を焼却炉に捨てたあと、地下室から駈けあがってきていたのだわ。なぜわたしはそのことを、事情聴取されている時、渡辺警部に言わなかったのかしら。つまらないことばかりべらべら喋ってばかりいて。でも、あの時はまだ、犯人は外部の者だという頭が、わたしだけじゃなく、渡辺警部にもあったんだからしかたがないわ。そして今日の事情聴取は、わたしだけは免除されたのだったし。ああ。渡辺警部が誘導して質問してくれさえすれば、わたしはあれを思い出すことができたのに。このひとはきっと、ひとつにはそのことをわたしに喋らせまいとしてわたしを殺すんだわ。殺される直前になって、こんなにいろんなことが頭に浮かぶなんて。でも、もう遅いんだわ。拳銃《けんじゅう》がこちらを向いている。銃口がわたしの胸を狙《ねら》っている。神様。お助けください。ああ。気持が悪い。死にたくない。死にたくない。

やっと、悲鳴が出た。

同時に、銃口が光った。

第十六章　錯

部屋から回廊に出ると、刑事たちが半狂乱といった状態で駈《か》けまわっていた。

「すぐに出口をかためろ。いや。焼却炉に行け」渡辺警部が北の回廊に立ち、怒鳴っていた。「バルコニーに見張りだ。東西南北、ひとりずつ立て。くそ。舐《な》めやがって」

舐めやがっては犯人に対する罵《のの》りであろう。

「絵里ちゃん。絵里ちゃん」五月未亡人が西の回廊で泣き叫び、立原絵里の部屋へ行こうとして東刑事に抱きすくめられていた。

「今度は立原絵里か」おれは自室の前で茫然《ぼうぜん》としている工藤忠明にそう質《ただ》した。

「ああ。そうだ」彼はもはやどうでもいい、といった投げやりな口調でそう言った。

木内文麿氏と彌生夫人も自室の前に並び、手摺《てす》りにつかまって、あまりのことにただうつけの如《ごと》く立ちすくんでいた。

「あんたたち」渡辺警部は刺すような眼でこちらを睨《にら》み、指をつきつけた。「食堂へおりてください。ほかのかたも食堂へ集ってください。絶対に、どこへも行かないように。おい君。馬場金造をつれてこい」

おれたちはそのまま、自室に戻ることも許されず、食堂に集められた。五月未亡人も泣きわめきながら東刑事と彌生夫人に両側から支えられ、食堂におりてきた。生き残った滞在者全員が大テーブルの周囲に掛けた。馬場金造もまるで連行されているような様子で若い刑事と一緒に玄関から入ってきて、隅《すみ》の席についた。彼はいやにおどおどしていて顔を伏せ、誰かと眼《め》をあわせることをひどく恐れていた。われわれの周囲には五人の警察官が立っていた。われわれの警護ではなく、どこへも行かせぬための警備であろう。

殺人現場である立原絵里の部屋に戻った渡辺警部が何やら大声で叫んだ。東刑事が階段を駈けあがっていった。

「警察を訴えてやるわ」

五月未亡人が叫んで立ちあがった。そんなこともあろうかと傍《そば》についていた木内文麿氏がただちに肩を抱き、宥《なだ》めて掛けさせる。

「警察が早く家に帰らせてくれなかったからよう」五月未亡人の、はらわたもよじれんばかりの号泣がえんえんと続く。

渡辺警部が現場の隣りの空室からあらわれて階段をおりてきた。抜け穴を発見したな、と、おれは思った。

「犯人は隣りの部屋から、取りはずしのできる羽目板をあけて侵入し、立原絵旦さんを射殺しています」

渡辺警部のことばに、うおう、と、声をはねあげ、身をよじり、五月未亡人の号泣が一段と高まった。「今朝、帰っていればよかったのにい」

警部は聞こえぬふりで続けた。「犯人は、いや、殺人鬼は、内部の者、つまりあなたがたの中にいると断定します」

「こ、根拠は」工藤忠明がとびあがって言った。「た、確かに内部の者の犯行のように見えるが、がが、外部の、は、犯人が、内部の者の犯行のように見せかける画策をしたのではないという根拠は」

「根拠はですな」工藤忠明のうろたえぶりを見て、渡辺警部は逆に落ちついてきたようであった。「外部の者であれば、そんな画策は不可能ということですよ。多くの刑事が木内典子さんの部屋で、バルコニーへのガラス戸をあけたまま調査をしていた。バルコニーへの階段の下にも警官がいた。警察官の眼がとどかないバルコニーに面している部屋には、空室を除いてすべて人が、つまりあなたがたがいた。そしてあらゆる出入り口には警察官がいた。これでも外部の者の犯行と言えますか」

「だって、あなたがた、今頃《いまごろ》抜け穴を見つけたんじゃないか」工藤忠明がけんめいに反駁《はんばく》する。「ほかに隠れ場所がないなんて、どうして断言できる」

「ナンセンスな議論はやめましょう」渡辺警部が大声を出した。「三つの事件の犯人はあきらかに同一人物だ。犯人は隠れ場所から出てきては殺人を犯し、犯しては隠れ場所に戻り、今でもまだその隠れ場所に飲まず食わずで潜んでいるとでもいうのですか。馬鹿《ばか》ばかしいとは思いませんか。中世の西洋じゃあるまいし」

「写真をとるだけですから」

「話を聞かせてください」

「ちょっと中の様子を見せてくれたっていいじゃないか」

「三人も殺されているんだろうが。だったら警部か誰かが出てきてわれわれに事情を説明してだな」

「そうだそうだ。釈明する義務があるぞ」

玄関ホールでマスコミ関係者のものと思える大声があがり、入ってこようとする彼らを阻止し、揉《も》み合う様子の警察官たちの怒声も響いてきた。

「入っちゃいかん」

「あとにしなさい。あとにしなさい」

「だから、今、捜査中だから」

「そこの戸を閉めろ」

渡辺警部の指示で、ふだんは開放されたままの、食堂と玄関ホールの間の大きな扉《とびら》が、われわれの背後に立っていた警察官たちによって閉められた。

階段をおりてきた東刑事が、黄色いゴム手袋と白いワイシャツを渡辺警部に見せた。

「これがバルコニーに落ちていました。玄関の上の、突き出た場所にですが」

「馬場さん」渡辺警部は金造に言った。「あなたはいったい、こんなゴム手袋をいくつ持っているんです。だいたいどうして毎度毎度、犯人に持っていかれるような場所に置いておくんですか」

「そ、そう言われても」馬場金造は今までになくびくびくした態度を見せ、吃《ども》りがちに答えた。「それはまとめて三つ買ったもので。それを使わないと、仕事にならないから。だからそれでもう、しまいですよ」

「馬場さん。あなたは事件が起ったとき、どこにいましたか」

「そりゃその、自分の部屋に」顔色が蒼《あお》かった。

渡辺警部の勘は鋭かった。「あなたは何か、隠していますね」

「いや。別に何も」

「あなた、事件の前、そのゴム手袋を盗《と》られたとき、地下のどこかで犯人を見たんじゃないんですか。犯人をかばっていますな。そうでしょう」

「知らん」馬場金造は咆《ほ》えた。激昂《げきこう》して立ちあがった。「なんでわしが犯人をかばってやらにゃならんのかね。なんでそんなこと言うのかね。わしゃ知らんと言っただけで、そのほかには何も言っとらんじゃろうが。どこからまた、わしが犯人を知っとるなんてことを言うのかね」

「すみません。すみません」東刑事が渡辺警部から眼で合図を受け、馬場金造の腕をつかんだ。「ここで騒がないで。さあ。ちょっとあっちへ行きましょう」

別の場所で訊問《じんもん》するつもりだろう。東刑事は馬場金造を厨房《ちゅうぼう》へと連れ去った。

「このワイシャツはどなたのですか」

「ぼくのです」おれは渡辺警部に答えた。「午前中に、地下の洗濯籠《せんたくかご》に入れた」

「何時頃です」

「十時半ごろでしたか」

「犯人は、典子さん殺害ののち、地下におりてこのワイシャツとゴム手袋を盗み、自室に戻った」

渡辺警部は考えながら喋《しゃべ》りはじめたが、それはすでに彼自身の中で考えられ、断定されたことを口にしているに過ぎないように思われた。

「自室でこれを身につけ、どこかわからぬ隠し場所から拳銃を出し、西のバルコニーをまわって、前以《まえもっ》てロックをはずしておいたガラス戸から空室に入った。空室の羽目板をはずし、絵里さんの部屋に入り、射殺し、また空室に戻り、羽目板をもと通りにし、西のバルコニーを自室へ戻りながらワイシャツとゴム手袋を脱いで捨てた」

「じゃあ、もしわれわれの中に犯人がいると言うのなら、今われわれの中の誰かが拳銃を身につけている筈《はず》でしょう」

「そうですな」渡辺警部は苦笑した。「まあ、部屋に隠しているということも考えられますが、各部屋は今、捜索中ですからね。でもいいことを言ってくださった。差しつかえなければこの場で、簡単に皆さんの身体検査をさせていただきましょう」

警部の眼の合図で警察官たちは「差しつかえなければ」という渡辺警部のことばなど無視し、ただちにわれわれ全員のからだをあらためた。五月未亡人や彌生夫人のからだにまで触れたのには驚いた。犯人憎しの思いで彼らも遠慮をなくしていた。拳銃は誰も持っていなかった。

「これで部屋の中に拳銃がなければ、われわれの中に犯人はいないということですね」

念を押した工藤忠明に警部は、こともなげな返事をした。「なに。その場合は捨てたんでしょう。衣類と違って拳銃は遠くまで抛《ほう》り投げることができますからな」彼はまた刑事のひとりに言った。「拳銃を捜せ。特に北の森の中だ」

「はい」若い刑事が玄関へと立ち去った。

「三つの事件の犯人が同一人物だとお考えなのなら、わたしたち被害者の家族だけでも除外していただけませんかなあ」投げやりに、木内文麿氏が言った。「そうすれば容疑者が絞れるじゃないですか」

今や木内文麿ともあろう人物が、娘を失った悲しみから、われわれ招待客への心遣いまで失ってしまっていた。この中の誰かが犯人と思うことで、むしろわれわれを憎みはじめてもいるようだった。

「たしかにそうすれば容疑者が三人に絞れるわけですが」立ったままの渡辺警部は自分の靴《くつ》の先に眼を落した。「この犯人には何やら異常なところがある。失礼とは思いますが、この中のどなたが犯人であってもおかしくないような気がします」

「なんてことをおっしゃるんです」悲しげに彌生夫人が警部の顔を見あげた。

「ああ。これは心ないことを」詫《わ》びながらも渡辺警部の眼は、何やら狂気の色を帯びはじめていた。「そうです。常識による消去法によって被害者の親であること、アリバイがあることなどから人物を消去していけば、犯人は簡単に割り出せそうに思います。しかし、動機が誰にもない。隠れた動機があるのでしょうが、何かこの」渡辺警部は突然、眼に見えぬ網から逃れ出ようとするかのような、発作的な全身の激しい仕草を見せてわれわれを驚愕《きょうがく》させた。「とんでもない動機であるにきまっておるんです。なぜかといいますと、常識的に動機の線だけをたどっていった場合、犯人はまるで一人二役、いやいや、逆に二人一役のように思えますし、もしかすると三人二役、いやいやいや、二人三役」

「渡辺警部」工藤忠明がちょっと心配して注意した。「あなたはいったい、何を言っておられるのですか」

「とり乱しておるつもりはありません」警部は背すじをしゃんと伸ばした。「しかし、雰囲気《ふんいき》に瞞着《まんちゃく》された傾向があります。気をつけねばなりませんな。よろしい。では木内さんのおっしゃる通り、容疑者を、被害者の近親以外の三人に絞ってみましょう」

彼は謎《なぞ》ときをする名探偵《たんてい》のように腰かけているわれわれの前をうろうろと歩きまわりはじめた。「その三人のうちに、美しいお嬢さんを三人とも殺さねばならない動機を持っていると思える人はひとりもいない。ただし、第一の犯行を悟られたがために第二の殺人を犯し、第二の犯行を悟られたがために第三の殺人を犯した可能性も除外できません。すると第一の殺人の動機が重要になってきますが、これとて牧野寛子さんを殺さねばならぬはっきりした動機を持っていた人は、三人の中にはいない。むしろ、現在三人に絞られた容疑者以外の、被害者たちを含む五人の人たちに動機があったのです」

「自分や自分の娘のために花嫁の第一候補を殺すというのも、妄想《もうそう》的な願望に過ぎん」木内文麿氏が苦い顔をした。「実際の殺人の動機としては薄弱だな」

「その通りです。ですから三人の容疑者に話を戻して続けましょう。次はアリバイということになりますが、浜口画伯には第一の事件と第二の事件に関してアリバイがある。従って容疑者の中からは除外できます。残るは二人ですが、工藤先生には三つの事件に関してアリバイはひとつもありません。すべて事件直後、自室から出てきておられるが、犯行後すぐ部屋に戻られたのだと考えることは可能です。それから残るひとりの。おい。君」渡辺警部は話途中で、階段をおりてきて厨房へ行こうとしていた鑑識課員を呼びとめ、質問した。「バルコニーの足痕跡《こんせき》はどうだ。何か出たか」

「出ません」肥《ふと》った鑑識課員がかぶりを振った。「庭からあがってきた者の足跡はすべて残っているんですが、その中には森から戻ってきた浜口さんの足跡が東のバルコニーに残っているだけです。あとは東刑事を含めて、われわれ警察関係者の足跡ばかりです」

鑑識課員が去ると、渡辺警部はわれわれを鋭い眼で見まわした。「今の話でおわかりでしょう。足痕跡鑑識では庭や森の土をつけてバルコニーへあがってきた者の足跡しか検出できません。つまり犯人は靴をはいていたにせよ、または靴下、スリッパであるにせよ、邸内から出てきた人物なのです」

渡辺警部がさらに何か言いかけたとき、東刑事が興奮気味に食堂へ入ってきて警部に大声で報告しはじめた。この東刑事を含めて刑事たちは最初のうち、われわれがいる前での警部への報告を低声《こごえ》で行っていたのだが、次第に気兼ねのない大声を出すようになってきていて、それは彼らの焦《あせ》りと切迫感を示していた。しかし東刑事の報告はたしかに、彼が興奮するだけの重大な内容を持っていた。

「警部。ダム・ウエイターを調べておりました者が、あのケージは三十七キロ以上の重量のものを乗せると作動しないことを発見しました」

渡辺警部はしばらく、東刑事のことばの意味を反芻《はんすう》し味わうようにじっとあらぬ方を見つめていた。一瞬全員が息をのんで警部を注視した。やがて五月未亡人が、はっとしたようにおれの方へ顔を向け、次いで木内文麿氏と彌生夫人が、見てはならぬものを見るようにゆっくりとおれの方へ顔をめぐらせた。

「奥さん」渡辺警部はことさらおれをあとまわしにするかのように、わざとおれに顔を向けず、彌生夫人に質問した。「失礼ですが、あなたの体重をお教えください」

「四十二キロでございます」

「そうですか」ゆっくりと、警部はおれに向きなおった。「ここにおられるかたの中で、たいへん痩《や》せておられる木内夫人よりも体重が少ないと思えるかたはあなただけですが、ひとつ、体重をお教えください」

「三十七キロはないと思いますよ」なかばはあきらめの気分で、おれは投げやりにそう言った。ダム・ウエイターに重量制限があることはまったく知らなかったのだ。気づいて当然のことであった。おれは自分の迂闊《うかつ》さを心で罵《ののし》った。

「それはしかし、いったいどんなテストをなさったのですか」隣席のわが庇護者《ひごしゃ》が大声を出して反駁した。「重量オーバーの者が乗って地下から二階まで往復したためダム・ウエイターが故障して、作動可能な重量が下がったのかもしれないでしょう」

「モーター、捲上機《まきあげき》、ロープ、いずれも貧弱なもので、モーターの容量からも、到底四十キロ以上の重量には耐えられないことがはっきりしています」東刑事は確信を表情にあらわしてそう言い、また渡辺警部に向きなおった。「それから東側のバルコニーで、拳銃《けんじゅう》の隠し場所と思える壁の穴を発見した者がおります」

「どこだ」

「工藤さんの部屋と、牧野寛子さんの部屋の間です」東刑事は回廊の南東のかどを指さした。「あそこに掃除道具を置く小部屋がありますが、ちょうどその裏です。あの掃除道具置場の奥からも取り出せるようになっています」

玄関から、さっき出ていった刑事が戻ってきた。「拳銃が森の中で見つかりました。比較的近くにありました」彼はハンカチにくるんだ拳銃を警部に渡した。

「ずいぶん古いものだな」警部は、ひとりごとにしてはやや大きな声でそう言い、刑事に拳銃を返した。「鑑識に持っていけ」

「はい」

「ダム・ウエイターの存在は木内家のかたもご存じだったようですが、あの拳銃が邸内にあること、隠されていた場所、立原絵里さんが使っていた部屋へ入ることのできる隣室からの抜け穴、これらのことを知っていた人は限られてきます。さしあたり、工藤先生はご存じなかったと見ていいでしょう。そうですね、工藤先生」

「まあ、いつも話に聞いたり、雑誌のグラビア写真などで何度も見たりして、すっかりロートレック荘を熟知しているような気になっておりましたが、実際に来たのは今度が初めてですから」と、工藤忠明は言った。「そうした秘密はまったく知りませんでした」

「と、いうことで」渡辺警部はおれを見て頷《うなず》いた。「容疑はますます、あなたひとりに絞られてきたわけです。あなたはここへこられてから、ダム・ウエイターがまだ動くことを確認されたんじゃありませんか」

「まったく知らなかった」馬場金造の沈黙を知っているので、おれはしらばくれた。

「父親の時代からすでに使われていなかったくらいですからね。とっくに壊れているものと思っていました」

「馬場金造が知っていたことはわかっているが、彼が誰かに話さなかったか訊《たず》ねてきてくれ」

「はい」東刑事はまた厨房に去った。

「しかし、絵里さんを撃つ拳銃の音が聞こえたとき、ぼくと重樹は部屋で一緒だったんですよ」

屹《きっ》として、渡辺警部はこちらに向きなおった。「偽証罪になりますぞ。あなたが彼を庇《かば》う気持は、昔のいきさつをうかがっているから理解できないわけではない。しかしその昔のいきさつをうかがった時に、あなたは当然知っておられた筈のことをひとつもお話しにならなかった。拳銃のことは知っておられたのかどうかわかりませんが、ダム・ウエイターのことも、抜け穴のことも言ってはくださらなかった。夏ごとにずっとここで彼と一緒に過ごしてこられたあなたが、仲良く遊んでこられたあなたが、ダム・ウエイターや抜け穴のことをご存じなかった筈はないのです。これをもってしても、あなたが彼を庇っておられることは明白です。しかし、これは殺人事件なのです。よく、お考えになってください。しかも連続して三人ものお嬢さんが殺され」

「言ってねえ。誰にも言ってねえ」悲鳴のような馬場金造のひび割れた大声が厨房から聞こえてきた。「なんでそんなこと、誰かに言わにゃならんのだね」

「馬場金造もあなたをけんめいに庇っているようですな」渡辺警部は皮肉な眼《め》をおれに向けた。「あなたを愛している人たちを偽証の罪に落さぬよう、今のうちにすべてを告白なさってください」

「彼には動機がないよ」と、工藤忠明がやや力なく言った。

「今わたしはたまたま『昔のいきさつ』と言いました」警部がおれを見つめたままで言った。「そしてあなた以外に犯人はあり得ないと思ったとき、わたしの頭には『昔のいきさつ』から敷衍《ふえん》できる動機が浮かびました」彼は同意を求める眼で全員を見まわした。「いかがです。おわかりになりませんか」

おれを見つめていた全員が声にならない息を、あっ、と、呑《の》んだ。彼らは一様に、今まで何かに覆《おお》われていた眼が本来の視力をとり戻したかのような表情をした。

「嘘《うそ》だ。重樹がやったんじゃない」──浜口修が悲痛にそう叫び、おれを皆から護《まも》ろうとするかのように抱き上げて、渡辺警部になかば背を向けた。「たとえ重樹がやったんだとしても、それは重樹がやったんじゃない。ぼくがやったんだ。ぼくがやったんだ」

第十七章　解

工藤忠明は私が大学に通っていた時、いくつかの講義を一緒に受けた男です。浜口修が美術大学へ進んだため私はひとりで大学に通わなければなりませんでしたが、まるで修のかわりをするため私の前に出現したかのように工藤という男があらわれ、私に親切にしてくれました。私は親友となった工藤を修にも引き合わせました。われわれ三人はよく気が合い、三人の家が近所ということもあって、それ以来親密なつきあいを続けてきた間柄だったのです。

大学で、私は美学を学びました。少年時代の事故以来家にひきこもり勝ちな私となんとかして共通の趣味を見つけようとした浜口修は、私と共に画塾《がじゅく》に通って絵を描《か》きはじめ、それは高校二年の頃《ころ》まで続いたのですが、私には自分に絵の才能のないことがその頃から自分でわかりはじめました。私は感受性が強くて、美術を鑑賞する力はあるのですが、美術の愛好者によくあるやつで、いざ自分が絵を描こうとしてもあれこれの名作の模倣になり、陳腐な絵しか描けなかったのです。逆に個性が強くて自分の見方でしか物ごとを見ることのできない浜口修の方が、皮肉なことにはぐんぐん絵の才能を発揮しはじめ、ついには画家になる決心をして本格的に修業を始めたのです。それぞれの大学に進んでふたりの道は別れましたが、それでもわたしたちにはいい関係が続いていました。以来私はちょうどロートレックに対するモーリス・ジョワイアンといった立場で彼に助言し、時には批評家のような眼で厳しい批判をしたりもしてきました。ふたりは互いに必要な存在になり、その関係は現在まで続いてきました。彼は画家として世界的に一流と認められ、一方私は私で、エッセイスト賞などを受賞したのをきっかけに、ちょっとした紀行文や軽妙なエッセイも書ける美術評論家としてマスコミの売れっ子になってしまったのです。勿論《もちろん》私のこのからだつきが物珍しさによって名を売ることにひと役買っていたことは否定できないでしょうが。

工藤忠明も加えてわたしたち三人はよく海外旅行などをしました。だいたい、どこへ行くにも一緒でした。木内文麿氏の一家や立原母娘《おやこ》、牧野寛子嬢などとの交際を始めたのも三人のうちの誰が先ということはなく、全員が初めて顔を合わせたのは浜口修の個展の会場でした。むろんそれ以前から文麿氏は私や修と顔なじみであり、立原絵里がたまたま工藤忠明の教え子だったといういきさつはありましたが、まあ、大まかにはほとんどの者がほとんどのひとと初対面であったと言えるでしょう。

三人のお嬢さんと頻繁《ひんぱん》につきあいはじめてから、修の私への態度が少し変化してきました。態度の変化というより、お嬢さんたちとのつきあいのため、私へのそれまでのような心遣いがやや薄れてきたと言った方がいいかもしれません。彼自身そんな気はなかったのかもしれませんが、大袈裟《おおげさ》な表現ではなく今までひたすら修だけを頼りにして生きてきた私にとっては、それは眠れぬ夜さえあるほど気がかりなことでした。修が三人のうちの誰かと結婚するようなことになっては、たとえ修にそうする気はなくとも、まさか自分の家庭を私のためになおざりにすることはできないでしょう。なおざりにされるのが私の方であるだろうことは眼に見えています。気のせいか修が私に、すでに二十歳台もなかばを過ぎた者への子供のような配慮はもはや不必要だろうといった態度をとることが多くなってきたようにも思え、口に出して質《ただ》せないだけに私は気が気ではありませんでした。私のこのような気持は、警部にはおわかりいただけないかもしれませんが、私のような者にとって強い庇護者がいないということがどれほど恐ろしいことか、今までずっと傍《そば》にいてくれた庇護者が突然いなくなるという事態がどれだけつらいことか、ちょっとことばでは表現できません。いざそうなった時の不都合を私はあれこれと考え、ひとり不安を抱え込んで自己増殖させておりました。修にしてみれば工藤忠明だっているではないかと思うかもしれませんが、とてもとても私にとって修の存在は工藤に替えるようなことのできないものです。工藤には第一に修のような使命感もなければ義務感すらなく、ただ同情心と友情があるだけで、とても頼り切れる存在ではなかったのです。

ああ。でもこうしたことは警部、私の犯行の動機として、最後には警部もお考えになったことでしたね。念のために申しあげておきますが、私の犯行は決して修に対する嫉妬《しっと》から出たものなどではありません。私と修との間には、よく想像されるような男同士の醜い関係はまったくありませんでしたので、それだけはくれぐれも誤解なさらぬようお願いします。

修がいちばん愛していたのは牧野寛子嬢であったと思いますが、享楽《きょうらく》主義的なところのある修は三人のお嬢さんにとり囲まれていることが楽しくもあったのでしょう、なかなか自分の気持をわれわれ男の友人以外には明らかにしませんでした。また私も工藤も、三人のお嬢さんはみな修との結婚を望んでいるものとばかり思っていましたから、自分から花婿《はなむこ》候補としてそうした関係の中へ割りこんでいく考えはまったくありませんでした。特に私などは、相手にもされないだろうと最初からあきらめていたのです。トオマス・マンの短篇小説「小フリイデマン氏」の主人公、私と同じ侏儒《しゅじゅ》のフリイデマン氏のように、恋愛や結婚をあきらめて、ひたすら美の世界に沈潜して生きるのだと自分に言い聞かせておりました。たとえ女性が好意を見せたとしてもそれを愛だと勘違いしたりすればひどい目に遭い、小フリイデマン氏のように悲惨な結末を迎えねばならない、そう思っておりましたし、事実それは中学時代や高校時代の私自身のちょっとした体験からも当然導き出される処世観だったのです。

ロートレック荘での夏の終りの滞在を私は恐れておりました。修が自分の気持を決定しなければどうにもならない時期にさしかかっていたからです。しかし彼が誰かと結婚することだけは何としてでも阻止しなければならない、私は行く前からそう決心しておりました。私たちは修の車で出発しました。（作者注・以下第二章）私は運転ができませんのでいつも車で旅行する時は工藤と修が交替で運転するのが常でした。出発した時は修が運転し、長野県に入ってからは工藤が運転を交替して修が助手席に移りました。私はいつもひとりで後部シートです。映画の興行的失敗も気にする様子はなく、修は陽気でした。エピキュリアンなのです。ロートレックの話から、私のかわりに自分が画家になってしまったのが因縁であるとか、まだ絵が売れない時代からの縁で木内文麿氏に、私の父の別荘を買ってもらったのであることなどを楽しげに話していました（8ページ7行目）。私はわたしたちを招待したのが木内家の誰なのかが気になって修に確かめ（10ページ15行目）、修の口からそれが策士の彌生夫人だと知って（同16行目）、自分の不安を口にせずにはいられなかったのですが、修は私が不安に陥っていることすら気づかぬ様子で、工藤忠明と自分の縁談に関する話を、それも持参金という生臭い話題を含めた話を冗談まじりで交わしていました（11ページ15行目より）。まったく、私の気持など想像すらせずにです。

別荘に着くと、出迎えた木内文麿氏が礼儀正しく私の父の消息など訊ねているのに、彌生夫人たるや私も工藤も眼中にない様子で、横に牧野寛子嬢がいたからでしょうか、すぐさま修に典子嬢のことを喋《しゃべ》りはじめ（14ページ8行目）、これがますます私の気持を波立たせました。

いつもホテルなどではそうすることを木内家の人たちは知っていて、私と修とは同室に案内されました（16ページ11行目）。昔両親の寝室だった、ベッドがふたつある部屋です。工藤忠明はひとりで隣室をあてがわれていました。

修と一緒に食堂におりていくと（17ページ13行目）、もうさっそく木内夫妻が工藤と結婚話を交わしていました。あわよくば典子嬢と修の縁談の邪魔になる牧野寛子嬢か立原絵里嬢を彼に押しつける気なのでしょう。そうした話の発展を恐れて、私はすぐに絵の方へ木内文麿氏を引き離しました。それでも彌生夫人はしつっこく修を絵の前まで追ってきて、絵の感想を訊ねたりしていました（19ページ9行目）。修も適当に返事していましたが、だいたい彼はロートレックを私ほど好んではおりません。

五月未亡人が修の名を連呼しながらあらわれて、娘がいないのにあわてていましたが、私はその時には立原絵里嬢が修に愛されることはまず、ないだろうと思っていましたから、そんな五月未亡人を可愛《かわい》く思う余裕が、まだ、あったのです。

全員テーブルに戻ったところで立原絵里嬢があらわれ、さっそく修と映画の話を始めましたが、修が彼女に対して率直に失敗を認めたりするのが私には気に食いませんでした（24ページ3行目）。（以下第三章）彌生夫人もやきもきしていたようです。

木内典子嬢が買物から戻ってきました。修への挨拶《あいさつ》をあとまわしにして、まず工藤、そして私へ熱心に話しかけてきた彼女に私はちょっと好感を持ちましたが、例の傷つくことへの恐れから、おそらくは本命への照れ、または勿体振《もったいぶ》りであろうと考えることにしました。あとで思えば照れにせよ勿体振りにせよ、いちばん彼女から縁遠いものだったわけですが。

お嬢さんたちがいなくなると、話は修の画業を中心に進みました。木内文麿氏と五月未亡人がしきりに修を誉《ほ》めあげ、私と工藤はほとんど口をはさめませんでした（29ページ10行目より）。ついには五月未亡人が私の存在も忘れ、修の美貌《びぼう》や様子のよさをミーハー的に賛美しはじめたため、私はとうとう我慢しかねて、絵を見ようと立ちあがりました。私の子供っぽいヒステリーを隠蔽《いんぺい》しようとして工藤も立ちあがってくれたから、助かりました。

私、修、工藤、文麿氏が絵を見てまわっているところへ闖入《ちんにゅう》してきたのが鉦《しころ》でした。彼を玄関ホールへ追いはらった文麿氏に修が鉦という変った名を確かめたのがきっかけで（36ページ12行目）、文麿氏は彼が典子嬢に懸想《けそう》していることを語り、わたしたち三人は思わず笑ってしまいましたが、私はすぐに自分が鉦を笑える柄《がら》ではないことに思いあたり、黙りこみました。修はちょっと典子嬢の気持を気にしたようで、文麿氏に訊ねたりしておりましたが（37ページ5行目）、これがまた私の不安を掻《か》き立てました。牧野寛子嬢を愛しているようなことを言いながら、まんざら木内典子嬢に気がないわけでもなさそうだったからです。もちろんふたりの女性と結婚することはできませんから、もし修が牧野寛子嬢を選んだ場合、彼は新たに映画を製作することがほぼ不可能になるわけで、その意味で彼女と木内典子嬢とを両天秤《てんびん》にかけて迷っているのだろうと想像することができました。彼がどちらを選んだにせよ、私にとっては同じ破滅的な結果になるのですから、私にも決断が必要でした。いざとなれば彼が選んだ女性を抹殺《まっさつ》してでも、と考えはじめたのはこの前後からであったろうと思います。

そうですか。そんなに簡単に殺人などという極端な行為を思い浮かべたことに不審の念を抱かれますか。私の想像ですが、幼いころから何度となく自殺を考えてきた者はいつしか生の意識が薄れ、他人の死や他人を殺すことを普通のひとほど重大事とは思わなくなるのではないでしょうか。三人のお嬢さんの殺害を、今では私も後悔しておりますが、その後悔の念もほかの人よりずいぶん稀薄《きはく》ではないかという気がします。特に今は私自身が、もはやいつ死んでもいいという気になっておりますからね。

私は邸内にあるさまざまな仕掛けや隠されている拳銃《けんじゅう》が今でもそのままかどうか、確かめておこうと考えました。私をひとりにしておくことのできない修がいつものように同行しようとしましたが（39ページ8行目）私は断り、思い出に耽《ふけ》るのだからといってひとりで食堂を出ました。玄関ホールでまた鉦に会いましたが、私はこの男を嫌《きら》いながらも、なんとなく興味を持ちました。その劣等コンプレックスのありかたに、私と通じるところがあったからだろうと思います。

私は正面玄関から出て（以下第四章）裏庭にまわり、馬場金造に出合いました。ここで私は彼が私を思ってくれていること、その忠誠心が昔どおりであることを確認して安心しました。私が人一倍そういうことに敏感であることは理解していただける筈《はず》です。私は彼ならたとえ私の犯行に気づいたとしても庇ってくれる筈だと思って安心しました。それからまた、ダム・ウエイターがまだ作動することも確かめました。

階段をあがってバルコニーに達した私は、高さ約一メートルのコンクリートの囲いが私のからだをほぼ隠してしまうこと、この囲いの内側を歩いている限り外から私の姿は見られないことを確かめました。さらに道具置場の外壁に嵌《は》め込まれた石を抜き出せば、中にはまだ三二口径のモーゼル・オートマチックがあることも確認しました。

例の空室の抜け穴だけはバルコニーからのガラス戸に錠がおりていて確認できませんでしたが、そのかわり夕方になると西側の部屋は、おそらくは室内の絵の日焼けを防ぐためでしょう、すべてカーテンがひかれ、バルコニーを歩いても中からは見られないことを知りました（53ページ6行目）。

バルコニーから自室に戻ると、修がシャワーを浴びていました。修ほど汗掻きではない私はそのまま、昔父が使っていた書き物机に向かってエッセイを書きはじめました。締切りが迫っていたのです。（以下第五章）しばらくすると木内典子嬢が夕食を告げにやってきてドアをノックしました。腹がへっていたわたしたちは（55ページ4、5行目）すぐ食堂へおりていきましたが、その時は工藤忠明をはじめ他の全員がすでに食卓についていました。工藤の隣りにはふたつ並んで空席が作られていました。私と修が常に並んだ席につくことをほとんどの人が知っていたようです（同6行目）。警部さんもお気づきと思いますが、それからも常に私と修の席は必ず並ぶよう、ついでに工藤の席も私の隣りになるよう、他の人たちから配慮されていたようです。

鋌和博がいたのには驚きましたが、でもこの男がいたおかげで五月未亡人と立原絵里嬢の饒舌《じょうぜつ》が触発され、修とお嬢さんたちの四角関係の図式が全員にとって明確になったのです。最初しばらくは牧野寛子嬢が、さっそく絵里さんの持ち出した映画の話題をそらせようとして私のエッセイの話をはじめ、昼間の贖罪《しょくざい》のつもりだったのでしょうか、全員がわたしのことを誉めあげてくれていたのですが、五月未亡人のおかげでたちまち話題は映画のことに、それも次作の資金難のことに戻ってしまいました。鋌が修に次作への意志を質し、修が作りたいと答えたのをきっかけに（60ページ9行目）絵里さんが赤字のことを喋り、鋌の質問に修が観客の不入りを語り、さらに作品としての失敗を自認する（61ページ16行目）、といった具合に、場は映画の話にどっぷり浸ってしまったのです。次作の脚本はもうできているが、前作の借金が残っているために製作にとりかかれないことを修が言ったため（62ページ16行目）、誰が出資するかの議論になって、身分をわきまえない鋌を除けば私や工藤には口を出せない話になりました。典子さんが鋌の出過ぎた発言をさえぎってくれたのも束《つか》の間《ま》、今度はいささか酔っていた絵里さんが、他のお嬢さんの不在に乗じていっ気に話を令嬢間のライバル関係に持っていってしまいました。さすがに工藤忠明が教え子を注意し、修も自分の気持が無視されていることを指摘したのですが（66ページ6行目）、絵里さんは自分の意見を主張するかたちで、ついに自分の修に対する気持まで打ち明けてしまったのです。そのひたむきさには、あまり絵里さんを好きではない私までが一瞬可愛さを感じたくらいですから、修にしてみれば尚《なお》さら彼女へのいとしさが募ったことでしょう。このお嬢さんにも注意しなければならない、私はそう思いました。

帰りをせかされた鉦が(以下第六章)しぶしぶ引きあげたあと彼の話になり、私が彼の劣等複合観念の裏返しとしての優越感を想像し、修が同意しましたので(70ページ1行目)、私はいい機会だと思って典子さんの気持を試すように、彼女の博愛主義によって鉦が彼女から愛されていると思いこんでいるらしいことを述べました。むろん典子さんは鉦への気持を強く否定しましたが、これがまたしても私には、修への愛の遠まわしな表現としか受けとれなかったのです。心の動揺を示して涙まで見せたのですから尚さらでした。

そのあと男性四人がテラスに出て、飲みながらしばらく話しました。ここで工藤が絵里さんを教え子である気安さでちょっと批判しますと、案の定修が彼女の可愛さを指摘し(73ページ1行目)、文麿氏がそれを肯定するように、あれが本来の女性の可愛さであると言ったため、私は平静ではいられませんでした。私と違ってたいていの男性には絵里さんの欠点こそが可愛く映るらしいのです。やはりお嬢さんたちを三人とも抹殺しなければならないのかと思い、私はその時初めて自分の考えている行為の無慈悲さに、さすがに慄然《りつぜん》としました。令嬢を三人とも殺害するという考えが浮かんだのはこの時が最初ではなかったでしょうか。もちろん一方では、そこまでやることにはなるまい、本命ひとりの抹殺で充分目的は達せる筈だと思っていたのですが。

文麿氏の前でうっかり絵里さんを可愛いなどと言ってしまった修は、あわてて典子嬢をピカ一だなどと褒《ほ》めあげたり（同6行目）、さらには錏こそ絵里さんと似合いだなどと言ってわれわれを笑わせましたが（76ページ1行目）、これがまた私を混乱させました。修の本命とするところの令嬢が誰なのかわからず、もしかすると修自身にもわかっていないのではないかと思いましたが、確かにこの時までなら、それは正しかったようです。

工藤忠明が典子さんこそ芸術家の妻に似つかわしいというようなことを言ったため、文麿氏が修にやや遠まわしながら縁談を切り出しました。牧野寛子嬢とどちらが好きなのかと問いつめるようなことを言ってしまってあわてて打ち消していましたが、文麿氏が去ったあと、あれはやはり決断を迫ったに違いないと工藤が修に指摘しました。しかし修は、まだ寛子さんとの間がさほど進展していないことを語り、あいかわらず心が定まらないと言うのみです（78ページ16行目）。これは本当だったと思います。三人の令嬢はいつも一緒でしたから、誰かひとりとランデヴーすることはできなかった筈なのです。しかし私はちょっといらいらして彼に決断を勧めました（79ページ5行目）。この別荘滞在中に片をつけぬ限り、彼が結婚しようとする相手を抹殺することは不可能だろうと思えたからでした。

わたしたち三人は食堂に戻り、女性たちに就寝の挨拶をしてそれぞれ自室に引きあげました。（以下第七章）私と修はバルコニーへのガラス戸に足を向け、部屋の両端のベッドで寝たのですが、それでも修が転転としていつまでも寝つかれない様子はナイト・スタンドの薄明りでよくわかりました。わたしもふだんは寝つきのいい方なのですが、その夜はとても眠れませんでした。それに、修が何らかの行動を起すかもしれないという予感がありました。

午前一時ごろだったでしょうか。半身を起して私の寝息をうかがっていた修が（82ページ1行目）そっと起きあがり、ガウンを羽織ってバルコニーへ出て行きました。令嬢の誰かの部屋へ、おそらくは牧野寛子嬢の部屋へ行くに違いないと思い、私は彼をつけることにしました。

第十八章　結

ここからが私の犯罪行為の告白ということになるのでしょうか。ここからの私の行動すべてが、三人の令嬢を殺害した私の犯行とその動機にかかわってくるからです。

バルコニーを左に進み、かどから東側をうかがい見ると、修が牧野寛子嬢の部屋に入っていくところでした。しばらく様子を見てから近づいていくと、まさかこんな深夜に誰も覗《のぞ》き見はすまいという油断からでしょうか、カーテンには隙間《すきま》がありました。でもさすがにガラス戸はぴったり閉められていて、話し声はかすかに聞こえるものの、会話の内容はまるでわかりませんでした。

やがて修が椅子《いす》から立ちあがってベッドの上、寛子嬢の隣りに移りました。性行為が予想され、私は修が彼女と結ばれることによって誰からも横槍《よこやり》の入れようがない関係を作ってしまおうと決断したに違いない、そう思いました。もしそうであるのなら、修がその決断をまだ誰にも話さないうちに寛子嬢を殺害した方が利害関係が明確でなく、警察も容疑者を特定しにくいだろうと考えました。

もちろんこの時には、ぼんやりとながら犯行を外部の者の仕業に見せかけようとする意図が働いていたと思います。しかしそんなことは犯行を考えている時の私にとって、さほど重要なことではなかったようです。私の気持など誰にもわからず、したがって私の動機など誰にも思い当たらぬ筈だから、私を犯人だと思う者もいるまいなどと考えていたのです。

ふたりが愛を交わしはじめたので、事態は決定的になったと私は判断しました。彼らの交情を鑑賞したいという欲望を私はさほど感じませんでした。見れば自分がつらくなるだけなので抑圧があったのかもしれません。むしろ牧野寛子嬢への憎しみがありました。昼間あれほど私に好意を示しておきながら、やはりまともな男性として愛の対象にする気はまったくなかったのだ。今さらのようにそんなことを思い、私が常に愛してやまない美しい女性全体への憎悪《ぞうお》を集約するかたちで彼女を憎悪したのです。

こうなれば、機会がありさえすればすぐにでも殺害できるよう、用意しておいた方がいい。そう思い、わたしは部屋にとって返しました。拳銃はいつでも出せると思いました。そして、どこかに指紋がついた時のことを考え、手袋を手に入れなければと思いました。馬場金造がいつもボイラー室で手袋を使っていて、たいてい焼却炉の前に置いていることは知っていました。

硝煙反応のことに思い当たったのは、邸内玄関ホール横の以前の衣装室から地下へ降り、食品貯蔵室にやってきて、テーブルに置かれている洗濯籠《せんたくかご》を見た時だったと思います。おそらくは立原絵里嬢のものであろうと思いながら、擬装にもなるそのブラウスをパジャマの下に押し込み、ボイラー室にあったゴム手袋を取って、同じ経路をたどり、自室に戻りました。ブラウスとゴム手袋をマットの下に隠し、ベッドに入って二十分ほど経《た》つと、修が戻ってきました。私は眠ったふりを続けました。部屋に修がいる限りは犯行に出て行けないので本当に眠ってもよかったのですが、絶好の機会はいつ訪れるかわからず、そもそも眠ることができませんでした。疲労ですぐ眠るだろうと思っていた修がなかなか眠れない様子だったのは意外でした（86ページ10行目）。性行為のあと、かえって眼《め》が冴《さ》える体質の男性が存在するという何かの本の記載を私は思い出しました。朝がた、かえって私の方がうつらうつらとしたようです。

かすかに電話のベルが鳴っているのも、うとうとしながら聞いたように思います。回廊の足音で、木内文麿氏にロスからの電話だったのだと思い、はっきりと眼醒《めざ》めました。修が起きあがり、Tシャツを着て部屋を出て行ったので（87ページ8行目）、これはしばらく戻ってこないだろうと思いました。ふたりが話し込むに違いなかったからです。犯行は修が文麿氏に決心を語らぬうちでなければなるまいと考え、私は起きて回廊に出、階下をうかがいました。厨房《ちゅうぼう》で木内文麿氏の大きな声がしていました。

私は部屋に戻り、ブラウスとゴム手袋を身につけました。

そして私はバルコニーに出ました。外はすでに明るく、私は銃声を聞いた工藤忠明がガラス戸のカーテンを開けて私を目撃する可能性に思い到《いた》り、ためらいました。しかしそのような偶然を恐れていたのでは、銃声を聞いた修が私のことを心配して部屋に戻ってくる可能性だってあるのです。一瞬チャンスと危険性を秤《はかり》にかけ、私は決行することにしました。

外壁から石をはずして穴から拳銃《けんじゅう》を取り出し、寛子嬢の部屋のガラス戸の前に立ち、銃口でカチカチとガラスを叩《たた》きました。手が顫《ふる》えていたためか思いがけなく大きな音がしました。私は全身で顫えていました。

さっとカーテンが開かれた時、私はのけぞりました。見れば牧野寛子嬢は私にとって巨人でした。ネグリジェを着た彼女の背の高い大きなからだがガラスを隔てて三十センチの近さに聳《そび》えていました。修がまた来たと思ったらしくて正面を向いていたため一瞬彼女は私に気づかず、その巨大さゆえの非人間性から殺しやすくなり、拳銃を発射した瞬間、彼女は私を認めたでしょうか認めなかったでしょうか。

どちらにしろ彼女はほとんど何が起ったかわからぬままに死んだと思います。彼女が部屋の中央部まで跳び、仰向けに倒れた時はすでに死んでいたと思います。しかし私は念のためガラスの割れ目から銃口を入れ、彼女の胸に狙《ねら》いを定めてもう一発発射しました。誰かが来るだろうと思うため気が焦《あせ》り、なかなか狙いが定まらなかったのでずいぶん時間をとったように思いましたから、たてつづけに二発の銃声がしたと皆が証言したことは意外でした。（以下第八章）拳銃をもとのところに戻し、バルコニーを走ってかどを南側に折れるのと、鋌和博が森から走り出てくるのと、どちらが早かったでしょうか。どちらにしろ私の姿はほとんど見えなかったことでしょう。私の姿が庭から見えるのは、私がコンクリートの囲いのない、階段をあがった正面、つまり寛子嬢の部屋の前にいる時だけだった筈ですから。

工藤忠明の部屋のカーテンは閉まっていましたし、修も部屋に戻ってきてはいませんでした。それでも私は急がなければなりませんでした。皆の様子を見た上で、あわよくばブラウスとゴム手袋を地下の焼却炉へ投げ込みに行こうと思っていたからです。あとになって地下へ行く機会が失われることを私は恐れたのです。回廊へのドアを細目に開けてうかがうと、向かい側の北の回廊を彌生夫人と五月未亡人が木内典子嬢の部屋へ走って行くところでした。予想していた通り、修は木内文麿氏と共にまず牧野寛子嬢の部屋へ駈《か》けつけたようでした。典子さんの部屋に皆が行くのは、寛子さんの部屋のドアが開かないのでバルコニーにまわるためであろうとすぐにわかりました。

全員が典子さんの部屋に入ったと見て、私は階段を駈けおり、取りにいった時と同じ経路でボイラー室に行きました。馬場金造が銃声に気づいて一階へ行こうとした場合でも、どちらの階段を使うかなど彼のたどる経路はわかりますし、もちろん地下の構造はよく心得ていますから、どこかで鉢合《はちあ》わせするという心配はほとんどありませんでした。

ふたつの品を焼却炉に投げ込んだのは、馬場金造によって燃やされてしまうことを期待したからですが、たとえ燃やされなくてもかまわない、自室などで発見されるよりはましという荒っぽい考えもありました。これはむしろ他に捨てるところを思いつかなかったのです。

一階に戻り、食堂からの階段をなかばまで駈けあがってきた時です。北の回廊で「こっちよ」という大きな声がしたため私はぎくりとしました。立原絵里嬢が自分の部屋の前に立って私に、典子嬢の部屋を指し示していたのです。見られたことをしまったと思いましたが、彼女はどうやら私が銃声の起った方角を間違え、いったん階段を駈けおりてからまた駈けあがってきたものと思ったようでした。気にはなりましたが、とりあえずは駈けつけるのが遅れた理由にもなる筈《はず》と都合よく考え、絵里さんのあとから典子さんの部屋に入っていくと、ちょうどバルコニーから、泣き続けている典子さん、その肩を抱いた文麿氏、工藤、修の順に部屋へ戻ってくるところでした。

その後の事情聴取で、誰が遅れて駈けつけたかという詮議《せんぎ》が厳しくなされなかったことはさいわいでした。警部は絵里さんの事情聴取で愛情関係にばかりこだわった質問をなさったようで、だから絵里さんも思い出さなかったのでしょう。もちろん二度、三度と訊《き》かれればいずれは思い出した筈なので、それが絵里さんを殺害した動機のひとつでもあります。

犯人を目撃したと典子さんが叫んだ時は、呼吸がとまるほど驚きました。しかし森の中へ逃げて行ったというので、新たな不安に襲われました。誰だかわからぬその人物が私の姿を見たのではないかという不安です。（以下第九章）警部さんから鉦和博の証言をうかがうまでは、頭にあるのはそのことばかりでした。

あの朝、警部さんが署からの電話で場をはずされた時、鉦和博が別荘まで来たのではないかと最初に言ったのは修でしたが（96ページ13行目）、典子さんが見たのは鉦ではなかったかと言ったのは絵里さんでした。私はわざと平然として、警察もそう思っている筈というようなことを申しましたが、鉦に姿を見られていたらと思って胃が重くなり、警部が署からの連絡と思える電話から戻られて何をおっしゃるかと、生きた心地がしませんでした。警部はにやにや笑いながら戻ってこられましたがあの不気味さといったらなく、鋲が裏庭に来ていたことをおっしゃった時は逮捕を覚悟したくらいです（98ページ2行目）。

木内氏の質問に答え、鋲は犯人を見ていないと警部がおっしゃってからも、奴《やっ》、実はおれを見たのではないかという疑念は消えませんでした。個人的脅迫その他あのひねくれた男が考えつきそうなことをいろいろ思い、あの場での話が犯人内部説へ向かわぬことに安心してばかりはいられませんでした。それでもあまり沈黙していてはまずいと思い、いたずら目的の犯人ならガラス戸がロックされていて入れないことがわかっている筈と修が指摘した時には（105ページ4行目）、ロックされていない部屋を探すつもりだったのだろうなどと口を出しました。警部の考えが犯人内部説に向かうのを避けるためです。

工藤忠明が、しゃがみさえすれば外から見えない囲いの存在に言い及んだ時も肝を冷しました。内部の者の犯行であれば犯人は私以外にないことを警部が気づくのではないかと恐れたのです。工藤はほかにも硝煙反応のことなど、余計なことばかり言うのでずいぶんひやひやさせられました。手袋痕《こん》などという鑑識の方法があることはあの時初めて知りましたが、修があやまっていたように（107ページ10行目）、足跡やガラスの割れ目など、彼が現場を荒らしていたことがずいぶん私には有利になったわけですね。

　鉦和博が容疑者のひとりと目されているらしいことで、なぜか修は彼の非常識に対し芸術家のそれを引きあいに出すなど弁護しておりましたが（同15行目）、それに答えて警部が芸術家の行動の反社会性を指摘されたこともまた、ひどく気になりました。私もまた広義の芸術家と言えますからね。警部はあの頃《ころ》からすでに私へ疑いの眼を向けておられたのでしょうか。とにかく牧野寛子嬢のご両親が見えて（以下第十章）警部がわれわれを解放してくださった時にはほっとしました。ひとつにはご両親と同席し、まともに向かいあっていることがひどく苦痛でもあったからですが。

　皆と一緒に台所で軽食をとっている時、馬場金造が入ってきましたが、ひどく疲れた表情で、修がそれを言うと（110ページ2行目）彼は警察から何やかや訊《たず》ねられたからだと答えました。いったい何を訊かれたのかとひどく気になりました。これは他の人たちも気になったらしく、その内容を知ろうと彼をとりかこんでわいわい訊いていましたが、金造はあまり喋《しゃべ》りませんでした。あの男、あの頃からなんとなく犯人の正体に関して、誰とは言えぬものの不吉な予感だけはあったのかもしれません。そうしたことでは勘の鋭い男です。

　東刑事がブラウスとゴム手袋を持ってあらわれました。馬場金造が焼却炉に火を入れる余裕の時間がなかったことはわかっていましたので、これは予想していたことでしたが、それでも東刑事が鑑識にまわすと言って持ち去った時は、科学的に犯人を特定できる私の知らない何かの方法があるのではないかなどと思い、いやな気分になりました。修と絵里さんが硝煙反応や擬装のことを話しはじめたから尚《なお》さらでした。

心配していた通り、頭のいい典子嬢が、犯人は殺人だけが目的だったのではないかと指摘し、ブラウスとゴム手袋が焼却炉に抛《ほう》りこまれた時間に関する修と金造と工藤の問答から、全員の頭に犯人は内部の者という考えも浮かびはじめていることが手にとるようにわかり、私は気が気ではありませんでしたが、何か口をはさんで話をそらせようとすればかえってぼろが出そうな気がして沈黙しておりました。内部に犯人がいるのではないかという全員の疑心暗鬼は、五月末亡人の発言など「渡辺警部なら当然そう思う筈だ」という転嫁《てんか》によってその重圧からやや解放されたようです。

牧野寛子嬢のご両親が帰られ、渡辺警部も本部に戻られてから、私と修はいったん自室に戻りました（115ページ7行目）。昨夜ほとんど寝ていない修はちょっとうとうとするると言ってベッドにもぐりこみました（同8行目）。私も寝ていないのですが、捜査の進展状況が気になってとても眠るどころではありません。特に気になったのは牧野寛子嬢の遺体解剖の結果でした。警察は情交があったことを知るだろうか。修は常に避妊具など持ち歩くような遊び人ではなく、牧野寛子嬢にしたってそうでしょうから、精液が検出されるに決まっています。警察が情交を知った結果それはどのように捜査に結びつけられるのだろうか。そんなことを思いながらシャワーを浴びたのち、私はひとりで食堂におりていきました。ほとんどのひとが集っていまして、私は皆から渡辺警部が戻ってきていて現在立原絵里嬢の部屋で絵里さんから事情聴取していること、ブラウスとゴム手袋から硝煙反応が出たこと、容疑が晴れて警察を出た鉦和博から電話があったことなどを聞かされました。

　拳銃の種類が特定されたことも知って驚きました。銃弾から種類が判明するとは思っていなかったので、これはもう絶対に、拳銃の隠し場所を発見されてはならないと思いました。そんな隠し場所を知っている者は限られてきますし、知っていた可能性がいちばん大きいのは私ですからね。

　しばらくして絵里さんの事情聴取が終り、渡辺警部は絵里さんと一緒に二階からおりてこられましたね。警部はあのあと、修からいろいろ訊きたいことがおありになったんじゃないんですか。浜口さんは、と、訊ねられましたね。寝ていることを私が申しあげると、今度は私に何かおっしゃろうとなさった。私を訊問《じんもん》なさるおつもりだったようですね。私はあの時、内心顫《ふる》えあがったのですよ。あの時の精神状態では、もし訊問されていたら、きっと何かぼろを出していたに違いありません。

天の助けと申しましょうか、典子嬢が警部を夕食にお誘いし、警部はひどく恐縮なさってそそくさとお帰りになりましたが、私は一生のうちであんなにほっとしたことはありません。

そのあと皆が絵里さんに、警部から何を訊かれたか、何を話したかとしきりに訊ねておりました。問われるまま絵里さんは事情聴取の内容をほとんど話したようですが、階段で私を見かけたことは喋っていないようなのでほっとしました。渡辺警部の推理が愛情関係のもつれという方向に向かっているらしいことも私を安心させました。どうせ私など、局外者と思われているに決っていますからね。修を訊問なさりたかったのはきっと、牧野寛子嬢の遺体から情交のあとが見つかったからだろうと想像できました。私に訊問なさりたかったことは、修と同室でいつも一緒にいる私の傍観者としての証言であろうと。

夕刻になり、木内典子嬢が厨房に立ったあと、修が起きてきました（116ページ7行目）。絵里さんが事情聴取されたことを聞いて彼は、ブラウスの本来の持ち主である絵里さんがいちばん容疑が薄い筈などと弁護したあと、またしても工藤忠明と推理ごっこをはじめ、外部の者が犯人であった場合の不自然さを知らず知らず浮かびあがらせてしまいました。

意外だったことは修がモーゼル・オートマチックの存在を知っていたことです。木内文麿氏が拳銃のことを話すなり、彼の顔色が変りました（118ページ6行目）。彼もまた、おそらくは中高生時代に偶然発見していたのでしょうが、自分以外にその隠し場所の存在を知る者はほとんど私だけだと思い、この時はじめて私が犯人であるという可能性が彼の中で大きくふくらみはじめたことだったでしょう。事実これ以後、彼はことばに気をくばるようになり、私を護《まも》ろうと決意したような様子が見えはじめました（同9行目より）。

牧野寛子嬢への工藤忠明のひそかな恋情が打ち明けられた時、修は驚いたようでしたが（119ページ8、9行目）私は何の感慨も持ちませんでした。私とは違う世界のことであり、ひと前で喋ることができる「秘められた恋」など私に言わせれば贅沢《ぜいたく》千万、あんな狂態をもし私が示したら笑われるだけでしょう。

立原絵里嬢の供述内容を聞いて修はショックを受けたようでした（120ページ3行目）。情交の痕跡が発見されることを、私とは違う意味で彼も心配していたのだと思います。

女性全員が厨房に立ち、男だけが残ったとき、殺人事件が起った直後だというのに木内文麿氏が典子嬢のことを、まことに巧みな口ぶりで修に持ちかけました（122ページ2行目より)。情況を利用したとしか言いようがありません。典子さんが修を愛しているに違いないと思い込んでいるための親心だったのでしょうが、すっかり説得されたていの修の様子(123ページ16行目)を見て、私が新たな犯行の決意をかためてしまったのだから皮肉なものです。

夕食が始まり(以下第十一章)、もしやこの席に真犯人がいるのではないかという不安から、なかば冗談のようにブラウスを着ることができるのは誰かという話題になりました。あまり黙っているのもと思い、私は自分には大きすぎるなどと口を出しましたが、ぶかぶかだからこそ硝煙反応を防げるわけなので、馬鹿《ばか》なことを言ったものです。隣りの席の修の手がこわばるのを私は見ました。彼はいそいで木内氏と一緒にいたという自分のアリバイに話を誘導しましたが(127ページ15行目)、これがまた動機の有無という話に移りました。工藤忠明に続いて私も動機がないことを主張しましたものの、隠れた動機という立原絵里嬢の発言は私の胸に刺さりました。無意識のうちに、ひとが触れられたくないと思っている真実を言い当ててしまう能力というのも、女性的な欠点を持つ女性の魅力の秘密なのでしょうか。

沈黙の多い夕食が終ったあと、(以下第十二章)私はひとり残ってテラスで一杯飲んでおりましたが、そこへ木内典子嬢がやってきて、どういうつもりか私などという者と話をしようと試み、椅子《いす》に腰かけました。牧野寛子嬢を私が好きだったかどうか訊ねましたので勿論《もちろん》だと答えたのですが、今から顧みれば私がいちばん愛していたのは、自分では抑圧してなんでもないなんでもないと言い聞かせてはいましたものの、実はこの典子さんだったのです。その典子さんを殺そうとしている。殺す機会をうかがっている。それどころか今この場で殺すことは可能かどうかなどと考えていたのです。そんなこととは知らず典子さんは自ら話をしようとやってきて、横に腰かけてにこにこしている。奇妙なことでした。

そして彼女は私を挑発《ちょうはつ》しました。いや。挑発に違いないと思いました。自分を好きかと訊ねたのです。修との縁談や、持参金がわりの出資金のことを話し（131ページ16行目より）、まるで私に決断を迫るかのような言いかたをするのです。ああ。どうしてこんなに女性というのは残酷なのだろう、そう思って私はほとんど典子さんを憎みました。それまでにも他の女性から似たような仕打ちを数多くされていたからです。必要以上に私と親しくし、愛情まで匂《にお》わせ、挑発し、そして私が矢も楯《たて》もたまらなくなって愛を打ち明けると顔色を変えて怒る。もうその手には乗らない。そう思いました。これで彼女にはおれに殺される理由ができた、おれは彼女を殺しやすくなった、と、そうも思いました。この美しい典子さんがこんな私との結婚を真剣に望んでいる、そんな考えはまったくのナンセンスでした。もしかすると彼女は私を真犯人と悟っていて、犯行から免《まぬか》れるために愛情を匂わせているのではないか、そんな想像までしたことを憶《おぼ》えています。

道化に徹してやれと私は思いました。自分を肴《さかな》にしたブラックなジョークを連発して笑わせようとしました。典子さんは笑いましたが、一方では私の自己卑下を悲しんでいるかのようにも見えました。私の仕事を尊敬し、私に好意を持ってくれていたことは確かなようなので、その時だけは真面目《まじめ》な彼女に悪いことをしたと思いました。そのように素晴らしい女性であるが故《ゆえ》に、私の愛する女性であるが故に殺害しなければならない。こんな倒錯した心理がおわかりになるでしょうか。

やがて彼女は自室にひきあげました。（以下第十三章）私はしばらくテラスに残って犯行計画を練りましたが、彼女は母親と一緒に寝ているため、その夜殺害することはどうせ不可能でした。

翌朝、馬場金造が自分の部屋で渡辺警部から事情聴取を受けていて、そのあと滞在客が順次訊問されることを知り、私は彌生夫人が事情聴取を受けている時には当然、木内典子嬢はひとりになる筈だと思いました。朝食が終り、まず修の事情聴取が北西かどの空部屋で始まったので（137ページ3行目）、私はひとり自室に入り、自室からバルコニーに出て、しばらくぶらぶらするふりをしておりました。陽射《ひざ》しが強く、南に向いている工藤忠明の部屋のカーテンはさいわいにも閉められていました。庭に警察官のいない隙《すき》を狙《ねら》い、私は外壁の隠し場所から拳銃《けんじゅう》を取り出し、ポケットに入れました。そのあと自室に戻った私は、回廊へのドアを細めに開け、正面にあたる北の回廊をうかがっていました。食堂ではひとり木内文麿氏が新聞を読んでいるだけでした。他のひとがすべて部屋にいることはわかっていました。

正午になり、修が取調室に充《あ》てられた空部屋から出てきて、階下の木内氏に彌生夫人の所在を訊ね、北の回廊を典子嬢の部屋へ行きました。彌生夫人に警部からの伝言をする修の声がかすかに聞こえてきました。そのあと彼は東の回廊をまわって部屋に戻ってくる様子でしたので、私はいそいで服のままベッドにもぐりこみ、寝たふりをしておりました。修は戻ってくると洗濯《せんたく》ものをかかえてまた出て行きました（141ページ9行目より）。上からうかがうと、彼は食堂を通り、厨房《ちゅうぼう》に入って行きました。彼がいつも裏口を出て外の階段から地下へ行くことを私は知っていました。彼が邸内の階段を使わないのは、不案内だからではなく、木内家への遠慮からなのです。

自室へ戻ったらしく、すでに食堂に木内文麿氏の姿はありませんでした。私は階段をおり、今はがらくた置場になっている衣装室に入り、渡辺警部のおっしゃった足跡のことが頭にありましたので、下駄箱《げたばこ》の中から木内文麿氏の大きな靴《くつ》を出して履きました。そしてその部屋の階段から地下におりました。ワイン蔵まで来ると、ドアの向こうで修と馬場金造の話している声が聞こえました。その問答を盗み聞くうち、東刑事が入ってきた様子でした。彼の要請で修と金造が森の中へ行くことになったようでした。

前夜ひと晩考えて、庭をうろうろしている警察官に姿を目撃されないよう、最初からダム・ウエイターを犯行に使おうと決めていたのですが、容疑を誰におっかぶせるつもりかはまったく考えておりませんでした。あの時にはまだ捜査が犯人外部説に傾いていましたから、そのままの線で進んでくれることを願っているだけでした。とにかくダム・ウエイターを使わない限り、誰にも見咎《みとが》められずに典子嬢の部屋へ往復することは不可能だったのです。

誰もいなくなった食品貯蔵室に入り、金造と修が洗濯籠《かご》を睨《にら》みながら話していたことを知っていましたから、できるだけ底の方から工藤忠明の青いTシャツを出して着用しました。さらにボイラー室へいってゴム手袋をはめ、食品貯蔵室に戻って配電盤を開け、ダム・ウエイターの電源を入れ、料理用昇降棚《だな》の戸を押し上げて中に入り、子供の頃そうしたように中から手をのばして二階へのボタンを押しました。ケージの動きはひどくのろいので、動き出してからでも中から戸を閉めることはできました。暗黒の竪穴をゆっくりと上昇しながら、私はポケットから拳銃を出しました。二階の戸が、前に家具を置くとか壁紙を張るとかのために木内家のひとによって開かないようにされてしまっていることも考えられましたが、その場合は犯行をあきらめて捲《まき》上機《あげき》のある屋根裏に抜け出るつもりでした。

しかし、戸は簡単にはね上げることができました。不必要なほど力を入れたため、大きな音がしましたが、典子さんはそれ以前からふだん聞き慣れない音がするので部屋の中央に立ちすくみ、ダム・ウエイターの戸を注視していた様子でした。

彼女は拳銃を持った私を見て、はっとした表情をしました。おそらくは私の意図と動機を一瞬にして悟ったのだと思います。今から考えると典子さんはまったく恐怖を示しませんでした。彼女は苛立《いらだ》たしげに激しくかぶりを振ったのです。あのかぶりの意味は、勿論そのときの私には通じませんでした。撃たないでくれという意味だろう、せいぜいぼんやりとそう思ったに過ぎません。自分が彼女を気の毒に思ったりして躊《ちゅう》躇《ちょ》することを恐れていましたから、私は犯行の手順通り、機械的に、棚に乗ったままでただちに拳銃を発射しました。典子さんは眼《め》を見ひらき、私を見つめたままで少しよろめきました。致命傷ではなかったらしいと思い、もう一発発射しました。頭に当ったらしく、彼女はそのままうしろへ倒れました。私は手をのばして地階へのボタンを押し、ケージが動き出すと中から戸をおろしました。

全員が現場に向かうだろうから、私が地下で誰かに会うことはない筈《はず》だと思っていました。事実、私がTシャツとゴム手袋と靴を焼却炉に投げ込み、同じ経路で一階に戻ってくるまで誰にも会いませんでした。すでに二階は大混乱に陥っていて、北の回廊では彌生夫人と木内文麿氏が大声で何やら叫んでいました（145ページ8行目）。階段をあがり、自分の部屋に戻り、バルコニーに出て拳銃をもとの場所に戻そうとしましたが、東のバルコニーの典子嬢の部屋の前には東刑事と、べったりとへたりこんでいる修がいたため、出て行くことがなかなかできず、早く拳銃を隠したい私はひどく焦《あせ》りました。あんな時に南のバルコニーをうろうろしていて誰かに見られたら当然怪しまれた筈ですが、それでもさいわい、やがてふたりは室内に入るため北のバルコニーへと去りました。私は大いそぎで拳銃を隠し、自室に戻って、今身支度をすませたばかりというふりを装いながら回廊に出ました。幸運にも、ちょうど警部さんが食堂で、全員集まるようにと大声を出しておられるところでした。

これが私の第二の殺人、木内典子嬢殺しの犯行です。

失態はなかったか、くり返しそう考え、犯行を思い返しておりましたから、皆の悲しんでいる様子を見てもほとんど何も感じませんでした。ほかのひとの眼からはそんな私が茫然《ぼうぜん》自失状態に陥っていると見えたことでしょう。

誰も、何も見ていないのかと、警部が激しい口調で全員に詰問《きつもん》された時から私は、もし犯人が外部の者であるのなら誰かに姿を見られている筈だと警部がお考えになっていることを知りました。警部だけでなく皆がそう考えはじめていました。修がけんめいに犯人外部説を主張してくれましたが（147ページ3行目より）、そのためか尚《なお》さら警部は、私に疑いの眼を向けておられましたね。

私はすでに大きなミスを犯していました。私が焼却炉に捨てたものを東刑事がいち早く拾ってきた時、私は木内氏の大きな靴には私の指紋がついているかもしれないことに気づきました。あわてていて、拭《ふ》くのを忘れたのです。

ダム・ウエイターが発見され（以下第十四章）捜査活動が活潑《かっぱつ》になりました。五月未亡人はしきりに娘の身を心配して帰りたい帰りたいとくり返し、東刑事に帰り支度を始めるなどと一方的に宣言していました。私は立原絵里嬢の殺害を急がなければ、と思いました。

そうです。ここまでくれば三人とも殺さなければ。木内典子嬢を殺害した直後から、私はなかば強迫観念のようにそう思っておりました。絵里さんだけ生き残らせたのでは典子さんに悪いような気もしました。正気の沙汰《さた》ではないとお思いでしょうね。まったく、血に餓《う》えていたとしか言いようがありません。それに立原母娘《おやこ》が東京へ戻ってしまっては、絵里さんを必ずしも嫌《きら》ってはいないらしい修ともし縁談がまとまった場合、彼女を殺す機会はない筈です。

それぞれが自室に戻ったあと、私はまた食堂におりて、新聞を読むふりをしながら捜査活動に注意しておりました。やがて、あたりに警察官の姿が見えなくなった時を見はからい、私はまた衣装室の中の階段から地下におりました。しかし今度だけは食品貯蔵室には入れませんでした。ダム・ウエイターを調べるため鑑識課員だの刑事だの警察官が数人いたからです。しかたなく別の経路からボイラー室に入り、ゴム手袋だけを取ってきました。馬場金造に姿を見られたのはこの時だったのでしょう。

ゴム手袋をポケットに突っこんで食堂に戻ってくると、誰かが郵便受から取りいれたらしく、輪ゴムで束にした郵便物がテーブルの上に置いてありました。その中に修宛《あて》の速達があることに気づき、私はそれを盗み読みました（153ページ12行目）。私の部屋の屑籠《くずかご》から発見された、私がずたずたに引き裂いたあの手紙です。ご承知の通りの内容でしたから、私はこれは修に見せるわけにはいかないと考えました。訴訟などということばに修が動顚《どうてん》し、五月末亡人に泣きついたりしては絵里さんとの話が早急にまとまってしまう、そう思ったからです。

夢中で破ったあと、誰かに見られてはいなかったかということに遅まきながら気がついて、あわてて周囲を見まわしました。北の回廊に背を向けていたため気づかなかったのですが、絵里さんが立って、私を見おろしていました。ひとの手紙を盗み読み、破るところを見られた、私はそう思いました。たとえ郵便受から取りいれたのが絵里さんではなくても、このテーブルの上の郵便物の中に白い封筒で修宛の手紙がきているのを見たかもしれません。すでに第一の犯行の際、階段から駈《か》けあがってきたのを見られてもいます。今や真犯人が私であると気づき、機会さえあれば警部に喋《しゃべ》るだろうと思って、もはや愚図ぐずしてはいられないという気になりました。五月未亡人は自分の部屋で帰り支度をしているでしょうから、絵里さんは部屋にひとりの筈でした。

渡辺警部と東刑事が厨房から出てこられたのは絵里さんが部屋に入ったあとでした。ダム・ウエイターのことでお訊《たず》ねになりましたね。あの時にはすでに警部も東刑事も、はっきりと私を疑っておられた筈で、あなたがたの態度からそれを悟ることはできた筈なのですが、次の犯行計画で頭がいっぱいの私にはわかりませんでした。

やがて警部と東刑事が取材に来たマスコミに対応するため玄関から出て行かれたので、邸内にあまり警察官のいない今がチャンスだと思いました。すぐ二階へ行こうとしたのですが、そのとき玄関ホールの電話が鳴ったので、しかたなく応待に出ました。電話の傍《そば》にいながら出なかったことを誰かに見られ、怪しまれてもいけないと思ったからです。電話は鉦和博からでした。手伝いに行きたいという電話だったので、ただでさえ修や工藤や私に反感を抱いているこんな男に嗅《か》ぎまわられては迷惑ですから、来るなということを強く言い、電話を切りました。(以下第十五章)部屋へ戻りますと、牧野寛子嬢に続く木内典子嬢の死にすっかりショックを受けた様子の修は、心の疲れからでしょうか、ベッドにもぐりこみ、眠っているようでした。

私はTシャツの上から、洗濯に出そうと思っていた白いワイシャツを羽織りました。身体検査されることを考え、ほかに捨てるところがないままに、ズボンのポケットの破った手紙を私の書きつぶしの原稿用紙にまぎれこませて屑籠へ捨てたのもこの時です。

そっとバルコニーに出て、拳銃をとりに東のバルコニーへまわろうとしました。木内典子嬢の部屋の前に鑑識課員らしい男がふたりいて何かの調査をしていましたが、すぐ部屋の中に入って行きましたので、ふたたび出てこないことを願いながらいそいで隠し場所からモーゼル・オートマチックを取り出し、ポケットに入れました。思っていた通り引き返し、自分の部屋の前を通り過ぎ、西のバルコニーに出ました。

り、夕刻の強い陽射しを避けるため、木内夫妻の部屋にも五月未亡人の部屋にもカーテンが引かれていました。玄関前にいる警部とマスコミ報道陣が何やら言いあっている声が聞こえていました。

北のバルコニーにも誰もいませんでした。しかし、あいにく空部屋のガラス戸には錠がおりていました。渡辺警部が事情聴取をなさった時に開けておられたのではないかと想像し、そのままになっていることを期待したのですが、やっぱり入れませんでした。立原絵里嬢のいる部屋も窺《うかが》いましたが、ここはもちろん脅《おび》えている絵里さんが閉め切っていましたし、当然錠もおりている筈でしたから、しかたなく自室に引き返しました。

こうなれば回廊を通って行くしかない、私はそう思いました。修はまだ、ぐっすり眠っているようでした。ドアを細めにあけて回廊をうかがいました。誰もいず、食堂にも誰もいない様子でした。私は西の回廊を歩いて突きあたりの空室に入りました。ゴム手袋をはめ、ポケットから拳銃を出し、逃走するために前もってガラス戸をそっとあけておきました。

羽目板は昔の通り、簡単にはずせるようになっておりました。物音を立てれば、脅えきっている絵里さんがきゃっと叫んで部屋から逃げ出してしまいますので、ゆっくり、ゆっくりと横にずらせていきました。

意外にも絵里さんは、私が顔を出す前から羽目板の動きに気づいていたようでした。彼女はベッドに腰をおろし、大きく顫《ふる》えながらこちらを凝視していました。あまりの恐怖に声も出ず、身動きもできない様子でした。

突然、彼女は蒼白《そうはく》の顔で私ににこにこと笑いかけました。恐ろしさのあまり気が変になったのだろうと思い、私まで怖くなってしまいました。彼女が何か言おうとして、か細い声を出すと同時に私は拳銃を発射しました。（以下第十六章）一発目で彼女は少しのけぞり、すぐ前かがみになりました。胸にあたったようでした。私は続けてもう一発発射しました。今度も胸にあたったようで、彼女はベッドへ仰向けに倒れました。羽目板をもとに戻し、私はバルコニーに走り出ました。走りながら拳銃を北の森に抛《ほう》り投げ、ゴム手袋とワイシャツを脱いで、玄関ポーチの上部にあたる突き出た部分に投げ捨てました。

自室に戻りますと、修はすでにベッドにはいませんでした。回廊へのドアが開いていて、その彼方《かなた》に立ち、手摺《てす》りに凭《もた》れて修が茫然としておりました。すでに西の回廊には木内夫妻が立ち、五月未亡人が泣きわめいていました。私は出て行って修の隣りに立ちました。自室から出てきた工藤忠明も、すぐ横に立っていました。私は彼に訊

ねました。「今度は立原絵里か」彼は答えました。「ああ。そうだ」（163ページ7、8行目）

それからすぐ全員が食堂に集合させられましたので、あとは警部さんもご承知のことばかりです。

もはや犯人は内部の者に違いないと警部が断定なさった時には、修が蒼白になっていましたが、私にはあれで修が私を犯人だと悟っていることを知りました。ベッドから起きたとき、部屋に私がいないことに気づいた筈ですからね。さらに馬場金造が犯人を見ただろうと警部に指摘されて激昂《げきこう》した時には、地下でゴム手袋を持ち去ろうとする姿を彼に目撃されたらしいことを悟りました。私はあの時、すでに観念したのです。たとえ金造が口を割らなかったとしても、彼がそれほどまでにけんめいに庇《かば》おうとする人間は私しかいないではありませんか。

さらに修が所在不明の拳銃のことで犯人内部説を否定しようとしましたが（169ページ5行目）、あれは私が拳銃をもとの隠し場所に戻しているだろうという考えからの主張だったのでしょうか。でも実際は戻している余裕がなく、弾丸もなくなっているので用済みと思い、捨てたのでした。一発でも残っていれば、いざという時の自決用にどこかへ隠しておいたかもしれませんが。

ダム・ウエイターの重量制限に気づかなかったのは笑止です。あれで私以外の者の犯行ではあり得ないことがはっきりしたわけですが、修はなおも、部屋で私と一緒だったなどと主張してくれました(176ページ10行目)。あれ以上主張してくれていたら偽証罪になったでしょうから、そうならなくてすんでよかったと思います。警部が動機を指摘してくださったおかげです。金銭でも痴情でも怨恨《えんこん》でもない、私なればこそのエゴイズムに満ちた動機を、直接の関係者でもないのに発見された警部の鋭さには敬服するほかありません。

第十九章　餘

あれから毎日、修がここへやってきて、自分が悪かった、自分は名声と人気に溺《おぼ》れ、お嬢さんたちにとり囲まれて浮かれていた、君の気持をもっと顧慮すべきだったといってわあわあ泣くのには困ります。修にはなんの罪もないのです。すべては私の矮《わい》小《しょう》な、保身の願望から発した、利己的な犯罪でした。

そして昨日、修が帰っていってしばらくしてから彌生夫人がやってきました。自分の娘を殺した憎むべき犯人にいったい何の用があるのだろうと私は思いました。どうしても面と向かって罵《ば》倒《とう》したいのだろうか。それならば甘んじて受けようと私は思い、覚悟しておりました。しかし彌生夫人は意外に落ちついていました。私の健康状態など二、三のことを訊ねたあと、これは娘の部屋から出てきたものだがと言って、一冊の日記帳を私に手渡し、あなたのことが書いてありますと言い置いて帰られました。

で、私はその日記を読みました。

ああ。ああ。やはり彌生夫人は私のところへ復讐《ふくしゅう》に来られたのです。なんと残酷なことをなさったのでしょう。あれを読んでから私は苦しくてたまりません。昨夜もまったく眠れませんでした。

日記には典子さんの私に対する想《おも》いが、恋情が、めんめんと書き連ねてあったのです。私のエッセイを読み、のち実際に私と知りあい、つきあううち、次第に、その傷つきやすい繊細な感受性に惹《ひ》かれ、魅せられていったのだと書かれていました。時おりは高度なユーモアで自分を笑いものにしたりもする複雑な知性に魅力を感じ、そしていつしか、このひとを理解できる女性は自分しかいないと思うようになり、ほかの男性に対する興味をまったく失ってしまったのだそうです。

なんということでしょう。私は自分にとってかけがえのない女性を、自分の手で殺害してしまったのです。

今にして思えばあの夜テラスで、彼女が私を嬲《なぶ》りものにするため、わざとらしく決断を迫っているかに私が受けとった彼女のことばは、すべて彼女の本心から出たことばだったのです。韜晦《とうかい》ばかりしている私の気持がわからなかった典子さんは、気位の高さのため私への想いを自分から私に打ち明けることができず、かといって両親に話しても反対されるに決っているため、ひとり悩んでいたのでした。修との縁談が進行しそうになり、あの夜私に気持を確かめようとしたのは彼女にとって、たいへんな勇気と決意が必要だったことでしょう。それを、まともにものごとを見られなくなっていた私は、自分を道化に貶《おとし》めて冗談にしてしまいました。私にしてみれば、あんな美しい女性が自分と結婚してくれるなど、夢にも考えられなかったからなので、そこのところはご同情願いたいと思います。ああ。悔やんでも悔やみきれません。

あまりの苦しさに私は、これはもしかすると彌生夫人の陰謀ではないのかとさえ思いました。日記による衝撃はほとんど私の命さえ奪いかねないものだったからです。復讐のため彌生夫人が自分で書いたものではないのかと疑ったのですが、それは明らかに特徴のある典子さんの字で書かれていました。

もし結婚していたとしたら、修以上に私を愛してくれて、修以上に私の強い庇護者《ひごしゃ》となり、生涯《しょうがい》そばについていてくれたであろう筈のやさしい伴侶《はんりょ》を、そして勿論《もちろん》私だって、全身全霊をこめて愛したに違いない妻となるべきひとを、私は残酷にも、無慈悲にも、殺してしまったのです。

私に殺されようとする時、瞬時に私の意図を悟った彼女が激しくかぶりを振ったのは、殺さないでくれという懇願なんかではありませんでした。わたしはあなたを愛している、だからわたしを殺す必要はないのだということを私に教え、けんめいに訴えかけようとしたのでした。彼女に対して私はなんということをしてしまったのでしょう。

典子さんは現代に稀有《けう》の女性です。ただでさえ最近の女性は理想の結婚相手として、身長がいくら以上なければならないとか、好き放題な要求をするではありませんか。こんな大きな罪を犯してしまった今となっては尚《なお》さら当然のことですが、典子さんのようなやさしく、美しく、毅然《きぜん》としていて気高く、しかも私を愛してくれる女性が、二度とふたたび私の前にあらわれることはないでしょうし、そもそもこの世に存在しているとも思えません。私が失ったものはなんと大きなものだったのでしょう。もうこれ以上生きていたってなんの希望もありません。どうか私を死刑にしてください。

解　説

佐　野　洋

私が知っている限り、筒井康隆さんには、推理小説の著作が二冊あります。本書『ロートレック荘事件』（長編）と『富豪刑事』（短編シリーズ・新潮文庫）です。（＊註　筒井さんには、ほかに『フェミニズム殺人事件』（集英社文庫）という推理小説があるそうだが、読んでいないので、ここでは触れないことにする。）

そして、この二冊は、膨大な筒井さんの全著作の中において、特殊な性格を持っていると考えられます。

筒井さんは、ご承知の通り、ＳＦ、ブラックユーモアの小説、さらにエッセイ、日記などを発表していますが、それらには筒井さんの主張が盛り込まれたり、思考実験が試みられたりしており、読者はこれらを通して『戦う筒井康隆』というイメージを持つのではないでしょうか。そして、それが筒井作品が若い人たちに人気のある理由だと思います。

ところが、同じ筒井作品でも、推理小説の場合には、こうした『戦う筒井康隆』の姿が浮かんで来ません。推理小説を書くとき、恐らく、筒井さんは読者を楽しませようということだけを考えている。つまり、SFやブラックユーモアなどとは、執筆の動機、目的が違っているのです。私が『特殊な性格』と言ったのは、そういう意味です。

そして、筒井さんの推理小説は……、と考えて来て、私は気がつきました。少し前のところで、『戦う筒井康隆』の姿は推理小説には顕《あら》われていない、という意味のことを書きましたが、実は推理小説においても、筒井さんは『戦っている』のです。ただ、それはSFやブラックユーモアの場合とは、違った意味の戦いなのですが……。

では、推理小説において、筒井さんが戦っている相手は何か……。

『SF以前は推理小説を読むしかなかったので、一応のことは心得ているつもりですが、やはりしんどかったですね。で、四編書くのに二年半かかりました。時間をかけないと、トリックが固まってこないんですね』

これは、一九七八年に『富豪刑事』が単行本になったとき、新潮社のPR誌「波」に載った筒井さんの言葉です。実は、これは文芸評論家の中島梓《あずさ》さんとの対談で語られたもので、中島さんが「推理小説の押さえるべきところは、きちっと押さえている」といったのに対して、筒井さんが右のように答えているのです。

ここで、筒井さんが「しんどかった」と言っていることに注目して下さい。世間では、筒井さんを天才だと思っています。むろん私もそう考えています。その天才が、『富豪刑事』について「しんどかった」と言っているのです。筒井さんが、生半可な気持で『富豪刑事』を書いたのではないことが、この言葉からも窺《うかが》えるでしょう。

いや、ことによると、最初は、「ひとつ推理小説も書いてみようか」という軽い気持ちで出発したのかもしれません。ところが、いざ書き出すとなると、真っ向から取組みたくなり、結局「しんどい」ことになってしまった……。私には、そう思えてなりません。

では、なぜそれほどに「しんどかった」のか。その答えは『富豪刑事』を読めば自然に出て来ます。

『富豪刑事』は、シリーズ物ですが、中の四編が、それぞれ別のパターンの推理小説になっています。そして、扱われる犯罪にしても、殺人、強盗、誘拐《ゆうかい》、暴力団の抗争と、一編ごとに変えてあります。さらに、使われているトリックが、それぞれに違う……。このように趣向を凝らしているのですから、書く側が「しんどい」のは、当然でしょう。

推理小説は、百年ちょっとの歴史を持っています。その間に、いくつもの型が生まれました。古くからある有名な物もあれば、そうでないのもあります。

筒井さんは、その中の比較的有名な（言い換えると、古い）型を選び出し、それに当てはめて『富豪刑事』を書いたのでした。

当てはめたと言っても、模倣ではありません。古い型を利用しながら、筒井さんの特色を出す、つまり、「古い物の中にも、新しい物を入れることができるのだ」ということを示したわけです。

これが、筒井さんの推理小説を書くときの基本的な姿勢だ、と私は思っています。そして、これはやはり一種の『戦い』ではないでしょうか。古くからある推理小説の型に対しての『戦い』……。

この『戦い』は、長編の『ロートレック荘事件』にも、引き継がれます。

この小説が、一九九〇年に単行本として出版されたとき、本のオビに、

「銃声が二発！　夏の終り、美しい洋館で惨劇が始まる……」

と、宣伝文句が書かれていました。

この文句を読んだとき、多くの人は、「ああ、よくあるタイプだな」と思ったことでしょう。私もそう思いました。

世間から隔絶した建物の中で殺人が起きる。従って犯人は、その建物にいた人物ということになるが、ではだれが……、というタイプです。この百年の間に、何百人という推理作家が、この種の小説を書いています。私などは、もうこのタイプの小説には、飽きてしまっています。

しかし、この本が出たとき、私は早速読む気になりました。それは、『富豪刑事』のことが頭にあったからです。筒井さんは、『富豪刑事』において、古い型に新しいものを盛り込むことに成功した、だから、この『ロートレック荘事件』にも、それがあるに違いないと期待したのです。

その結果は……。

私は、二十年近く『推理日記』というエッセイを書き続けていますが、その中で『ロートレック荘事件』については、つぎのように書いています。

『告白すると、私は最後で「やられた」と思った。最近、こんな風に見事に欺《だま》されたことはなかった。

このトリックをアンフェアーだと言う人もいるらしいが、私はそうは思わない。このような、作者によるトリックの方が、犯人のトリックより、私は好きである。

その意味で、筒井さんに心からの拍手を送りたい』

これが、読み終わったときの感想です。実は、『推理日記』では、私がなぜ見事に欺されたかの分析をしているのですが、それを書くと、たねを割ることになるので、ここでは割愛します。とにかく、この小説は、一字一句もゆるがせにせず、慎重に読んで下さい。速読などは以てのほかです。いや、それは言い過ぎでしょう。速読、飛ばし読みご自由です。しかし、そういう読み方では、作者がどんなに苦心をしたかが理解できず、本当の意味で、この小説を楽しんだことにはならないとだけは言えると思います。

ところで、筒井さんは、昨年『断筆宣言』をして、現在でも断筆状態は続いています。

いわゆる差別語、差別表現について、メディアが過剰に反応し、自主規制が強まっていることに対する抗議。それが筒井さんの断筆の趣旨だと、私は理解しています。

いわゆる差別表現については、私と筒井さんとでは、必ずしも同じ考えではないようですが、それはともかく、それについての筒井さんの姿勢が、『ロートレック荘事件』にも、大きく関連していることだけはたしかだと思います。

その点に関しても、詳しく書きたいのですが、やはり小説のたねを割ってしまう恐れがあるので、遠慮しておきましょう。ただ、筒井さんだからこそ、『ロートレック荘事件』が書けたとは断言できます。

言い換えると、私には『ロートレック荘事件』は書けないということなのです。いや、こういうテーマは考えようともしなかったと思います。

このことに関連して、私がある編集者と交わした会話を、『推理日記』に書いていますので、抄録してみましょう。

――ぼくだったら、この小説は書けないなと思った。というより、考えようとはしなかったと思うんだ。つまり……

「エンターテインメントのエチケットという奴《やつ》でしょう？」

――うん……。エンターテインメントという言葉の通り、推理小説というのは、読者に楽しんでもらうためのものだ。身体障害者をねたに、人を楽しませるということに、釈然としないものがある。（中略）身体的欠陥をエンターテインメントに取り上げるのは……

「その身体的欠陥という言葉はどうかと思いますね。欠陥ではないもの」

――うん、それじゃあ、大多数の人と違っている……。ああ、こういう言い方こそ差別になるか……。

「そう……。それに、大多数なんて言い方は漠然《ばくぜん》とし過ぎていますよ」

――では、医学の教科書に載っている『人間像』と違っている人。

「それこそ、おかしいです。早い話、左右の脚の長さが同じ人なんて、ほとんどいないというし、近眼だって、『医学教科書の人間』からは外れているのでしょう？　近眼という身体的特徴をミステリーのトリックに使うのは慎むべきことなのか」

――ううん、ちょっと個人的なことを話すよ。実はだね。前に亡くなられた仁木悦子さんとは、年も同じだったし、デビューも一年ぐらいしか違っていない。（中略）仁木さんは、著書を贈呈すると、ちゃんと感想を書いて返事を下さった。そんな事情があるので、ぼくは何となく車椅子の人物を小説に登場させにくかった。一種の遠慮みたいなもので。

「そんな遠慮こそ重大なんです。根底に車椅子の人への差別意識があるために、遠慮をしてしまうのじゃないですか。仁木さんは、ご自身のからだのことなど、恐らく気にしていらっしゃらなかったと思うのです。それを佐野さんの方で遠慮するというのは、かえっていけないことで……。アメリカのミステリーなんかには、アイアンサイドを初めとして、車椅子の人物がごく自然に出て来るじゃないですか」

このように、『ロートレック荘事件』を通して、私はテーマに関する自主規制という問題にぶつかったのです。

筒井さんは、あるいは、作家がテーマの自主規制をしていることに対するアンチテーゼとして、この『ロートレック荘事件』を書いたのかもしれません。

（平成六年十二月、作家）

この作品は平成二年九月新潮社より刊行された。

筒井康隆著
笑うな
タイム・マシンを発明して、直前に起った出来事を眺める「笑うな」など、ユニークな発想とブラックユーモアのショート・ショート集。

筒井康隆著
富豪刑事
キャデラックを乗り廻し、最高のハバナの葉巻をくわえた富豪刑事こと、神戸大助が難事件を解決してゆく。金を湯水のように使って。

筒井康隆著
夢の木坂分岐点
谷崎潤一郎賞受賞
サラリーマンか作家か？ 夢と虚構と現実を自在に流転し、一人の人間に与えられた、ありうべき幾つもの生を重層的に描いた話題作。

筒井康隆著
虚航船団
鼬族と文房具の戦闘による世界の終わり——。宇宙と歴史のすべてを呑み込んだ驚異の文学、鬼才が放つ、世紀末への戦慄のメッセージ。

筒井康隆著
旅のラゴス
集団転移、壁抜けなど不思議な体験を繰り返し、二度も奴隷の身に落とされながら、生涯をかけて旅を続ける男・ラゴスの目的は何か？

筒井康隆著
パプリカ
ヒロインは他人の夢に侵入できる夢探偵パプリカ。究極の精神医療マシンの争奪戦は夢と現実の境界を壊し、世界は未体験ゾーンに！

筒井康隆著
懲戒の部屋
―自選ホラー傑作集1―
逃げ場なしの絶望的状況。それでもどす黒い悪夢は襲い掛かる。身も凍る恐怖の逸品を著者自ら選び抜いたホラー傑作集第一弾！

筒井康隆著
最後の喫煙者
―自選ドタバタ傑作集1―
「ドタバタ」とは手足がケイレンし、耳から脳がこぼれるほど笑ってしまう小説のこと。ツツイ中毒必至の自選爆笑傑作集第一弾！

筒井康隆著
傾いた世界
―自選ドタバタ傑作集2―
正常と狂気の深～い関係から生まれた猛毒入りユーモア七連発。永遠に読み継がれる傑作だけを厳選した自選爆笑傑作集第二弾！

筒井康隆著
ヨッパ谷への降下
―自選ファンタジー傑作集―
乳白色に張りめぐらされたヨッパグモの巣を降下する表題作の他、夢幻の異空間へ読者を誘う天才・筒井の魔術的傑作短編12編。

筒井康隆著
家族八景
テレパシーをもって、目の前の人の心を全て読みとってしまう七瀬が、お手伝いさんとして入り込む家庭の茶の間の虚偽を抉り出す。

筒井康隆著
七瀬ふたたび
旅に出たテレパス七瀬。さまざまな超能力者とめぐりあった彼女は、彼らを抹殺しようと企む暗黒組織と血みどろの死闘を展開する！

ロートレック荘《そう》事《じ》件《けん》

新潮文庫　つ - 4 - 33

平成 七 年 二 月 一 日 発 行
平成二十六年 八 月二十五日 十五刷改版
令和 四 年十一月 五 日 二十三刷

著者 筒《つつ》井《い》康《やす》隆《たか》

発行者 佐藤隆信
発行所 株式会社 新潮社
郵便番号 一六二―八七一一
東京都新宿区矢来町七一
電話 編集部(〇三)三二六六―五四四〇
読者係(〇三)三二六六―五一一一
https://www.shinchosha.co.jp

価格はカバーに表示してあります。

乱丁・落丁本は、ご面倒ですが小社読者係宛ご送付ください。送料小社負担にてお取替えいたします。

印刷・錦明印刷株式会社　製本・錦明印刷株式会社

ISBN978-4-10-117133-3 C0193